당신을 빛내 줄 상황별 영어표현

당신을 빛내 줄 상황별 영어 표현

발 행 | 2024년 10월 21일
저 자 | 최구영(Brandon Choi)
펴낸이 | 한건희
펴낸곳 | 주식회사 부크크
출판사등록 | 2014.07.15(제2014-16호)
주 소 | 서울특별시 금천구 가산디지털1로 119 SK트윈타워 A동 305호
전 화 | 1670-8316
이메일 | info@bookk.co.kr

ISBN | 979-11-419-1137-9

www.bookk.co.kr

CONTENT

저자 최구영

미 8 군 카투사 복무

호주 시드니 상업용 부동산회사 Vertical Property Group 사업팀

YBM T&E 토익출강(한림대학교)

(주)현진에버빌 두바이법인 사업팀

DL E&C(대림산업) 해외사업팀

제니스미디어콘텐츠 해외사업 총괄이사

(현)해외사업 컨설턴트

저서: 해외건설 A to Z(도서출판 리브로리브레, 2022)

남다른 영어를 구사하고 싶으신 분들께 이 책이 도움이 되기를 기대합니다.

영어가 모국어가 아닌 이상, 우리는 일상의 다양한 상황에서 어색한 표현을 자주 하게 됩니다. 우리 정서를 바탕으로 한국어체의 틀에 맞춘 문장들이기 때문에 원어민들이 듣기에 어색한 것입니다.

그것은 말하기에 한정된 문제가 아닙니다. 개별 단어를 모두 알아 듣고도 무슨 말을 하는지 모르는 이유는 원어민들만의 표현들을 별도로 학습하지 않았기 때문입니다.

이 책은 일상 생활과 밀접한 주제들에 대하여 '제대로 된' 표현이 무엇인지를 짚어 주고자 합니다. 상황별로 정리된 표현과 예문들은 독자들이 주제의 연결성을 가지고 쉽게 이해하는데 도움을 줄 것입니다.

어휘와 문법지식이 많지 않은 독자들도 이해와 학습에 큰 무리가 없을 정도의 간단한 표현들로 예문을 구성하였습니다.

독자들이 하고 싶은 말들을 바로바로 만들어 낼 수 있고, 아리송 했던 미국 드라마와 영화에 나오는 표현들도 거침없이 이해되는 그날을 하루 빨리 앞당길 수 있기를 바랍니다.

Chapter 1. 먹고 마시는 것

맛에 대한 평가

die for (음식 등이) 맛이 정말 좋다.

This is to die for! 이거 맛이 죽여주네!

보통 맛있다 라고하면 It's good/It's delicious 라고 표현하는데요,

아주 맛있을 때 It's very delicious! 라고 하는 경우가 있는데 이 표현은 문법적으로 틀린 표현입니다. delicious(아주 맛있는)나 freezing(매우 추운)과 같이 이미 단어의 뜻 안에 매우, 아주 등의 의미가 포함된 단어들은 very라는 부사와 함께 사용하지 않습니다.

It's so delicious! 가 맞는 표현입니다.

I'd like that big scrumptious blueberry muffin, please.

저는 저 크고 맛있는 블루베리머핀으로 주세요.

*scrumptious 아주 맛있는(=delicious)

그럼 반대로 맛이 정말 없을 때 어떻게 표현할까요?

This is abysmal! [əˈbɪzməl] 이라고도 합니다. This is terrible. 과 비슷한 의미입니다.

This sucks! 맛이 정말 형편없다 정도의 표현도 있습니다.

맛이 그저 그렇거나 적당하다면,

It' so so./It's not bad./It's just okay. 로 말할 수 있겠습니다.

맛이 있다 없다가 아닌 무미(아무 맛이 느껴지지 않는)의 경우는,

This food is tasteless. 라고 말하면 됩니다.

겉바속촉(겉은 바삭하고 속은 촉촉한)이라는 표현을 자주 접하게 되는데요,

영어로는 crispy on the outside, soft on the inside 로 표현합니다.

먹어도 먹어도 계속 먹고 싶어 지는 음식이 있는데요, 영어로 어떤 표현이 있을까요?
moreish (음식이 맛있어서) 더 먹고/마시고 싶은
This chicken is moreish. 이 치킨은 좀 더 먹고 싶어 지네요.

탄산음료 등을 마실 때 김이 빠진 경우가 있는데요 그럴 때는,
This soda is flat. 이 탄산음료는 김이 빠졌어요
반대로 It's still fizzy(=sparkling). 아직 거품이 있어요. 라고 표현할 수 있습니다.

시리얼(cereal)의 경우 눅눅해 졌다 라고 말해야 할 때 It's soggy. 눅눅해요.
반대로는 It's crispy. 바삭바삭 합니다. 라고 할 수 있습니다.
crunchy라는 표현도 있는데요 crispy와 비교해서 약간 두께감 있는 바삭함을 표현할 때 사용합니다. (예: 초콜릿 바)

고기가 질긴 경우에는 tough, 기름 졌다고 표현하려면 oily, greasy, fatty를 활용해 보세요.

초콜릿 중에서도 맛이 굉장히 진하고 꾸덕한 것들이 있는데요,
This chocolate is quite rich. 라고 표현합니다.
gooey '끈적/쫄깃거리는'도 알아 두면 좋겠습니다.

식음료가 상했을 때

I think this soup tastes funny. 이 수프 맛이 이상해.
(맛이 이상하거나 상한 것 같을 때 사용하는 표현. 재밌다는 표현이 아닙니다.)
The milk smells a bit iffy. 우유냄새가 이상해.
(상태가 애매하다, 불확실하다 의 의미)
Put the meat in the fridge so it doesn't go bad.
고기가 상하지 않게 냉장고에 넣어두세요.
*go bad 썩다, 나빠지다 (모든 상한 음식에 사용해도 무난한 표현)

보통 상한 음식별로 다른 단어들이 보편적으로 사용되기도 하는데 살펴 보겠습니다.
This cheese is -> moldy(곰팡이가 핀)
This milk is -> spoiled(망가진)
This bread is -> stale(신선하지 않은)

This tomato is -> rotten(썩은, 부패한)

This water is -> stagnant(흐린 물, 침체된)

This oil is -> rancid(산패한)

This canned food is -> expired(만료된, 기한이 지난)

고유의 맛은 어떻게 표현 할까요?

flavored 맛이 나는, 풍미가 있는

taste 맛, 맛이 나다

banana-flavored juice 바나나 맛 주스; 진짜 바나나로 만든 주는 banana juice가 되겠지요?

lemon-flavored cake 레몬맛(향) 케이크 등으로 사용할 수 있습니다.

I don't like a chocolate-flavored protein drink.

난 초콜릿 향이 나는 단백질음료는 안 좋아해요.

It is earthy. 건강한 맛이 난다.(흙에서 자란 건강한 맛)=It has an earthy flavor.

*earthy 흙의, 땅의

싱겁다는 표현은? It is bland. 맛이 안나요./It's kind of bland. 좀 싱겁네요.

*bland 자극적이지 않은, 특별한 맛이 안 나는 *blend 섞다, 혼합하다 와 혼동주의

시다는? It tastes sour. 또는 다른 형용사 acid, vinegary 등으로 표현 할 수 있습니다.

향긋하다? savory taste(향긋한, 풍미가 좋은 맛)

This dish has a unique savory taste. 이 음식은 독특한 향긋한 맛을 가졌다.

입맛을 돋우는 자극적인 맛이라는 뜻도 됩니다.

맵다? spicy는 보통 향신료가 많이 들어가 있어 강한 맛을 낼 때 사용합니다. hot은 맵거나 얼얼함을 표현합니다.

This noodle is so hot. 이 국수는 정말 맵네요.

Wow, the curry we had at lunch was so spicy. 와, 우리 점심에 먹었던 카레는 정말 맛이 강했어.

I like this refreshing tangy lemon flavor. 난 이 레몬의 톡 쏘는 상쾌한 맛이 좋아요.

*tangy 톡 쏘다

조리방법이나 온도를 표현하는 방법

미온의, 미지근한 lukewarm/tepid 상온(실온)=room temperature

상온수로 주세요 Can I have some lukewarm water please?

얼음을 넣은 iced
보통 ice coffee/ice americano로 혼동하기 쉬운데 정확히는 iced(얼음이 들어간)가 맞는 표현입니다.
I want some iced americano after lunch. 점심 후에 아이스 아메리카노 한 잔 하고 싶어요.

boil과 steam의 차이
boil은 물/국물 안에 넣고 삶는다는 의미이고, steam은 찌다(수증기 등으로)라는 뜻입니다.
Do not boil the pak choi/bok choy, steam it. 청경채를 삶지 말고 쪄야 해요.
*pak choi/bok choy 청경채

굽다, 부치다, 튀기다의 구별
일반적으로 감자 등을 구울 때는 bake를 쓰고(baked potatoes), 전(부침개)등을 부칠 때는 fry, 볶음 음식 만들 때는 stir fry, 튀긴다는 표현은 deep fry로 표현할 수 있겠습니다. (보통 fry는 기름 두르고 하는 요리에 사용함)
커피나 땅콩 등을 볶을 때는 roast 로 표현합니다.

요리에 관련된 다른 표현들도 살펴보겠습니다.
반죽하다 knead,
갈다, 다지다 grind/mince
-> ground corn 잘게 빻은 옥수수, minced meat 다짐육
썰다 slice
-> a slice of bread 빵 한 조각, She sliced onions. 그녀가 양파를 썰었다
깍둑썰다 dice, 강판에 갈다 grate, (국물 등을)졸이다 poach, 살짝 데치다 parboil
물기를 빼다 drain, 체로 거르다 sieve, 우려내다 brew/infuse
-> I brew green tea in hot water. 난 녹차를 우려냈다.

발효 fermentation, 발효되다/발효시키다 ferment
Grape juice becomes wine as the fermentation process is complete.
포도즙이 발효가 다 되면 와인이 되는 거야.
To make pickles, you need to ferment it like Kimchi. 피클을 만들려면, 김치처럼 발효시켜야 돼.
Leave out fermentable ingredients. 발효성이 있는 재료들은 빼자.

식재료, 소스 등의 양을 표현하는 단위

a pinch of salt 소금 한 꼬집
a knob of butter 버터 한 조각
a dollop of mayo 마요네즈 약간, 소량
a drizzle of oil 오일 조금
a dash of hot sauce 핫소스 약간
a loaf of bread 빵 한 조각

소금, 버터, 빵 등은 셀 수 없는(uncountable) 명사로 양을 표현하는 단어를 앞에 사용해 줍니다.

요리 실력/조리 기술은 어떻게 표현할까요?

culinary skills 요리 기술

She has great culinary skill, and often cooks delicious meals for us.

그녀는 훌륭한 요리 실력을 가지고 있어서 가끔 우리에게 맛있는 음식을 해 준다.

*요리학교는 culinary school이라고 합니다.

요리와 식사의 종류

surf and turf 해산물과 육류가 같이 나오는 요리
seafood 해산물
grilled 숯불로 구운
skewer [ˈskjuːə(r)] 꼬치, 꼬치를 꿰다
Mediterranean cuisine 지중해식 요리
military cuisine 군대식요리
buffet style/all you can eat 뷔페
traditional dish 전통요리
side dish 반찬
Korean food/dish 한식
Western food/dish 양식
fusion food 동서양식 융합요리
treat 간식
soul food (미국 남부 흑인들의) 전통음식
comfort food 편안하게 해주는 음식, 기분 좋게 해주는 음식

우리가 일상생활에서 많이 하는 '회식'은 어떻게 표현할까요?

team gathering 회식

모임의 성격에 따라 회식의 표현으로 company dinner, staff dinner, office dinner, business dinner, get-togethers 등 다양한 표현이 가능합니다.

I have a company dinner today. 오늘 회식이 있어요.

I can't believe my boss keeps forcing me to attend office dinner.

내 상사가 계속 회식참석을 강요하는 것이 믿겨 지지 않네요.

a filling meal 포만감을 주는 식사

Lunch was very filling. 점심 정말 배부르게 먹었어.

I am going to have a really filling dinner today. 난 오늘 저녁 정말 배부르게 먹을 거예요.

기타 먹는 것과 관련된 표현들

go down the wrong pipe 사레 들리다(음식물이 기도로 잘못 들어 감)

She drank a cup of coffee and it went down the wrong pipe.

그녀는 커피를 마시고 사레 들렸다.

생선가시 등이 목에 걸리는 경우는 어떻게 표현할까요?

If a fishbone gets stuck in your throat, try swallowing water.

생선가시가 목에 걸리면 물을 삼켜보세요.

I think I have a small fishbone stuck in my throat.

목안에 작은 가시가 걸린 것 같아요.

*get something stuck in one's throat 목안에 무언가 걸리다.

order in 배달시키다

Let's order in pizza. 피자 배달시키자.

반대로 나가서 먹자(외식하자) 하려면 Let's eat out. 하면 됩니다.

*eat/dine out 외식하다

Why did you buy unripe bananas? 왜 안 익은 바나나를 샀어?

*unripe 덜 익은

I don't think this melon is ripe yet. 이 멜론은 아직 안 익은 같아.

*ripe 익은
I think this banana is not overripe but rotten. 이 바나나는 너무 익은 게 아니고 썩은 거 같아.
*overripe 너무 익은
This banana is smooshed. 바나나가 물렀다.

I wined and dined her는 무슨 뜻? 그녀를 푸짐하게 대접했다.
wine and dine 접대/만찬이라는 표현인데요, 동사화 해서 접대를 하다, 만찬을 베풀다로 사용합니다.

편식하다, 가려 먹다는 어떻게 표현할까요?
I am not a fussy eater. 난 식성이 까다롭지 않아요. 편식하지 않아요 라고도 해석할 수 있겠습니다.
*fussy[ˈfʌsi] 안달복달하는, 신경질적인, 장식이 많은

커피에 관한 표현들
weak coffee 연한커피
Can I get my coffee weak? 커피 연하게 해 주시겠어요?
=Can you water down my coffee?
*weak/mild 연하게 라는 의미로 모두 사용 가능합니다. 연하게의 의미로 light를 쓰는 사람들도 있지만 weak가 더 보편적으로 사용됩니다.

반대로 진한 커피/차는 strong coffee/tea 입니다.
I enjoy strong coffee in the morning. 나는 아침에 진한 커피를 즐깁니다.

Could you leave some room in the cup please? 잔을 가득 채우지 말아주세요. 라는 표현입니다.

coffee sleeve(컵 홀더)와 cup lid(컵 뚜껑) 표현도 알아 두시면 좋겠네요!
Can you put a sleeve on it? And I don't need a lid.
컵 홀더 씌워 주시겠어요? 뚜껑은 필요 없습니다.

Can I get that warmed up? 데워 주실 수 있요?
Easy on the syrup. 시럽은 줄여 주시구요.

Not as sweet. 보통보다 덜 달게요.

Can I get this in a to-go cup please? 이거 테이크아웃 잔에 담아 주시겠어요?

What do you want in your drip/coffee? 드립/커피에 추가할 게 있나요?

With a splash of coconut milk. 코코넛밀크 살짝 뿌려서 같이요.

With whip please. 휘핑크림 올려 주세요.

우유와 관련된 표현들

But the taste of low-fat milk is also important. 그러나 저지방우유의 맛도 역시 중요합니다.

미국에서 판매하는 우유는 지방(fat) 함유량에 따라 다음과 같이 분류합니다.

full-fat/whole milk 지방을 하나도 제거하지 않은 우유

low-fat/reduced fat/semi skimmed milk 저지방 우유

->지방 함유량에 따라 2% milk, 1% milk 등으로 나뉜다.

skimmed/fat-free milk 지방을 완전히 제거한 탈지우유

*멸균우유 sterilized/long life milk

한국사람들은 젖당분해효소가 없거나 부족해서 우유를 마시면 소화가 잘 안되는 사람들이 많은데요, 이런 경우 표현할 수 있는 단어가 lactose intolerance(락토스 불내증/젖당 비내성) 입니다.

My primary health concern is lactose intolerance. 내 주요 건강문제는 유당불내증 입니다.

저는 유당불내증이 있어요. I have a lactose intolerance 보다는 I am lactose intolerant 가 더 자연스러운 표현입니다.

샌드위치에서 쉽게 볼 수 있는 치즈가 체다치즈?

cheddar[ˈtʃedə(r)]; cheddar cheese는 사실 영국의 hard한 치즈입니다. 우리가 마트에서 흔히 보는 짙은 노란색 치즈는 soft process(연성가공)된 것으로 American cheese 라고 표현하는게 맞습니다.

식당 or 식사 자리에서 사용되는 표현들

예약없이 갔을 때, 예약 없이 왔는데요!라고 아래와 같이 표현합니다.

I am a walk-in./We are walk-ins./Do you do walk-ins?

How many of you? 몇 분 이실까요?

We have one more coming 한 사람 더 올 거예요.

Dine in or take out? 매장에서 식사할 지 포장해 갈지 묻는 표현입니다.
I am just wondering if there is a wait right now? 지금 대기가 있나요?
I am calling to see if the wait list is filled for today.
오늘 대기자 명단이 꽉 찼는지 확인하려고 전화했습니다.
How long is the wait? 얼마나 기다려야해?
*wait 기다리다, 대기, 대기시간
*waiting 기다리는 것, 기다리는 행위
I'll show you to your seats. 제가 안내해 드릴께요.

여기 제일 인기있는 메뉴가 뭐지요?는 어떻게 표현 할까요?
What is the most popular menu here?는 엄밀히는 틀린 표현입니다. menu는 '메뉴판'을 의미합니다. 따라서 menu는 -> dish or menu item이라고 해야 정확한 표현입니다.
What is the most popular dish here?가 맞습니다.
지인들끼리 식당에서 어떤 메뉴가 좋을 지 대화 중에 사용할 수 있는 좋은 표현입니다.
can't go wrong with~ 항상 정답이다. 무난하다.
You can't go wrong with NAENG-MYEON in summer. 여름에 냉면은 항상 정답이지.
Potatoes and cheese? Can't go wrong. 감자와 치즈요? 실패할 리가 없죠.

share family style 패밀리 스타일로 나누어 먹다.
Can we order only 3 dishes for 4 people? We are going to share family style. 4명이서 3개 메뉴만 주문해도 될까요? 패밀리스타일로 나눠 먹을 게요.(테이블 중앙에 놓고 나눠 먹는 스타일)

Water is self-serve. 물은 셀프입니다.
self service로 혼동하기 쉬운데요, self-serve가 우리가 표현하는 '셀프'의 의미입니다.
*That is a self-serve station. 거기는 셀프 주유소입니다.

양이 많고 적음은 다음과 같이 표현합니다.
Portion is large. 양이 많다.
The portions here are really large. 여기 음식 양이 많이 나오네.

특정 재료나 소스를 따로 달라고 할 때는 Can I have ~ on the side?라고 할 수 있는데요,
예를 들어 케첩(접시위에 말 고 따로 주세요)라고 하려면

Can I have ketchup on the side?라고 하면 됩니다.

조미료나 소스를 통칭해서 condiment나 seasoning라는 표현도 있는데요,

Please give us more condiment/seasoning on the side. 소스(양념) 좀 따로 더 주시겠어요?

*season 양념하다 *seasoning 양념

dressing on the side 소스는 따로

I'd like one hamburger and hold the onions. 햄버거 하나 주시구요, 양파는 빼 주세요.

쌀국수 집에서 고수 빼 주세요는 Hold the cilantro please.

반대로 많이 넣어 달라고 할 때는, Extra cilantro please. 라고 하면 됩니다.

*cilantro(=coriander) 고수

burger with the works -> 이 표현은 everything on it과 같은 표현입니다. 치즈, 양파, 소스 등 들어가는 재료가 모두 들어간 버거를 의미합니다.

Go easy on~ 적당히 해

Go easy on the mayo. 마요네즈 적당히 먹어.

짧게 easy on~ 라고 해도 됩니다. Easy on the salt please. 소금 적게 쳐주세요.

<-> Go heavy on the salt please.

*Go(be) easy on~는 사람에게도 쓸 수 있습니다.

Go(be) easy on yourself. '너 자신을 너무 몰아 붙이지 마' 정도의 의미가 됩니다.

음식/음료를 리필 할 때는 Can I get a refill please?라고 하면 됩니다.

Drink up, then I will refill your glass. 다 드시면 잔을 채워 드리겠습니다.

냅킨은 napkin입니다. serviette이라는 단어도 같은 표현입니다.

고기를 구울 때 '잘 익힌', '많이 익힌' 등의 표현은 어떻게 할까요?

This steak is under/over cooked. 이 스테이크는 덜/잘 익었어요.

*The noodles are undercooked. 이 면은 덜 익었어.

'면이 불다'는 다음과 같이 표현할 수 있습니다.

Noodles are getting mushy. 면이 불고 있다.

Noodles are bloated. 면이 불었다

Noodles got soggy. 면이 불었다
*swollen noodles 불은 면

Could you hand me the butter? 버터 좀 건네 줄래요?
*hand 를 동사로 ~건네주다의 표현으로 사용합니다.

clear(clean up) 치우다
Would you clear/clean up the table for us please? 여기 테이블 좀 치워 주시겠어요?
I think this can go. 이거 좀 치워주세요.(테이블에서 다 먹은 접시 치워 달라 할 때)
Bus your own table. 먹은 자리를 치우세요.
*busboy/busgirl 테이블 청소만 하는 직원

leftover/leftover food 남은 음식
Can I pack up the leftover?/Can I get this wrapped? 남은 음식을 포장해 갈 수 있을까요?
Can I get a to-go box/takeaway box for the leftovers?라고 표현해도 됩니다

Can I close your tab? (Bar 등에서 이미 주문하여 소비한 음료나 메뉴에 대해) 계산을 지금 해도 될까요?
*tab 식별표. 색인표
tap 수도꼭지와 혼동주의

Ring me up please. 계산해주세요
Split the bill please. 계산 나눠서 해주세요
Just right down the middle? 똑같이 나눌까요?

단골집, 맛집에 관한 표현
go-to place 단골집
This is my go-to place. 여기는 내 단골집이야=I am a regular here.
a hole in the wall 맛집 (주로 낡고 허름한 가게인데 맛있는 집; 요즘 유행하는 '노포' 맛집 정도로 이해하면 되겠습니다.)
That place is like a hole in the wall in this city. 그 집은 이 도시에서 (노포)맛집 같은 곳이야.
맛있는 식당을 표현하는 단어들은 많이 있는데요, 대표적으로 gourmet restaurant, hot place for

foodies, culinary gems(직역하면 요리 보석), foodie heaven 등이 있습니다. must-eat place라는 표현도 되겠네요!

술과 관련된 표현들

alcohol-free 무알콜

Do you have any alcohol-free beverages? 무알콜음료 있나요?

It should be non-alcoholic. 무알콜이라야 해요.

Do you want to do virgin? 무알콜 원해?

*virgin 처녀, 자연 그대로의 의미가 있는 단어로 무알콜 음료로 사용되기도 합니다.

실제로 무알콜은 알코올 함유 0%, 논알콜(비알콜)은 1%미만 함유로 차이가 있으므로 상황에 따라 정확히 의미를 구분해야 할 수도 있습니다.

short drink 작은 잔에 마시는 독한 술

long drink 긴 유리잔에 나오는 찬 음료(맥주 등)

*He is a long drink of water. 크는 키가 크고 말랐다.

*a long drink of water (속)키가 크고 마른 남자

care for a drink? 한잔 드릴까요?

one for the road 마지막 한잔

He is an alcoholic.그는 알코올 중독이에요.

*alcoholic 알코올 중독자, 술에 의한 *alcoholism 알코올 중독

moderate drinker 적당한 음주가, heavy drinker 대주가, 술 잘 마시는 사람

light drinker 술을 가볍게 마시는 사람

I am not a good drinker. 나 술 잘 못 마셔.

I am a little tipsy. 술이 약간 취했어요.

*tipsy 술이 약간 취한

I am pretty sober. 난 맨 정신인데.

*pot sobriety test 대마초 검사

Stay here until you sober up. 술 깰 때까지 여기 있어.

*sober 술 취하지 않은. 냉철한 *sober up 술이 깨다

I am so wasted.(=hammered/trashed/buzzed) 많이 취했다.(고주망태가 되었다)
booze 술, 술을 진탕 마시다
She is out boozing with her boyfriend. 그녀는 남자친구와 술을 진탕 마시고 있는 중이다.
*liquor [ˈlɪkə(r)] 독한 술(독주), (모든 종류의) 술

raise(have, give)a toast 건배를 들다
down it(down it one)=bottoms up 건배!

slug 민달팽이, (독한술의)한 모금
She took another slug of soju. 그녀가 소주를 또 한 모금 마셨다.

계란에 대한 표현들

beaten eggs 풀어놓은 계란
Whenever I have leftover gimbab, I soak it in beaten eggs and fry it in a pan.
김밥이 남을 때면, 계란을 풀어 입혀서 프라이팬에 부칩니다.
*soak 적시다 (이 문장에서는 I glaze it with beaten eggs. 라고 표현해도 좋습니다)

요리법에 따른 계란의 다양한 명칭들을 알아보겠습니다.

삶은 계란 boiled eggs(완숙은 hard boiled, 반숙은 soft boiled)
수란 poached eggs/*poach 수란을 만들다, 졸이다
날계란 raw eggs
노른자 yolk, 흰자 white
계란후라이 fried eggs
스크램블 scrambled(hard/soft)
오믈렛 omelette
노른자를 안 터뜨리고 한쪽면만 익힌 sunny side up
양쪽을 다 굽는데, 정도에 따라 over easy, over medium, over hard(완전 익힌)
노른자를 깨뜨려 달라고 하면, Can I have it over hard with yolk broken?라고 합니다.
노른자를 터뜨린다는 표현으로 pop the yolk해도 됩니다.
I always pop the yolk before I eat it. 난 항상 먹기 전에 노른자를 터뜨려.

자주 사용되지만 익숙하지 않은 음식/식재료 관련 단어

bell pepper 피망
dried persimmon 곶감
ice cream sundae 선데이 아이스크림(아이스크림에 초콜릿이나 과일시럽을 얹은 후식)
perilla 들깨 *perilla leaf 깻잎
stamppot(mash pot) 네덜란드 food로 삶은 감자에 야채를 혼합하여 만든 음식
rice puff 뻥튀기
cotton candy 솜사탕
garnish 고명을 얹다, 고명
Parsley will be served as a garnish for the main dish. 파슬리가 주 요리의 고명으로 제공됩니다.

Chapter 2. 사람의 행동

먹는 행동과 관련된 표현들에 대해 알아볼까요?

nibble 야금야금 먹다, 한입거리 안주

She starts nibbling on my plate. 그녀가 내 음식을 야금야금 먹기 시작한다.

*I tend to nibble on my fingernails when I am nervous.

난 긴장하면 손톱을 물어뜯는 경향이 있다.

eat something little by little ~를 조금씩 야금야금 먹다.

pick at ~를 조금씩 먹다(=eat sparingly)

I was nervous so I just picked at my breakfast. 나는 긴장해서 아침을 조금 깨작거리기만 했다.

dig in 퍼먹다

Let's dig in! 자 이제 먹자!(=Let's tuck in!)

*tuck 밀어 넣다, 끼워 넣다

*tuck ~ in은 ~를 재워 주다는 의미도 있습니다.

Today, your dad will tuck you in. 오늘은 아빠가 재워주실거야.

*dig it은 I like it very much.의 의미입니다. I am digging into it. 난 지금 그걸 파헤치는 중이야.

위의 '퍼먹다' 라는 dig in과 혼동을 주의해 주세요.

*gold digger 꽃뱀. 남자 돈 보고 만나는 여자

feast 맘껏 먹다, 포식하다, 연회, 잔치

Feasting once in a while can be good for the soul. 가끔 마음껏 먹는 것은 정신건강에 좋습니다.

overeat 과식하다

I overate and become sick. 과식해서 탈이 났어요.(=I made myself ill by eating too much.)

pig out 개걸 스럽게 먹다, 과식하다

I can pig out if I want to. 내가 원하기만 하면 개걸스럽게 먹을 수 있어요.

go grab a bite 요기하러 가다
I will go grab a bite. 요기 좀 하러 갈게.

한국에서 토하다라는 표현으로 오바이트 했다 라고 말하는 경우가 있는데 실제 토하다라는 표현은 vomit, throw up 등을 사용할 수 있습니다.

smack one's lips 입맛을 다시다, 군침을 흘리다
Brandon is smacking his lips as his wife just made some sweet pies.
Brandon은 아내가 이제 막 달콤한 파이를 만들어서 입맛을 다시고 있다.

sip 조금 마시다, 홀짝이다
He took another sip of his coffee. 그는 커피를 한 모금 더 홀짝였다.
He sat at the table sipping his coffee. 그는 테이블에 앉아서 커피를 조금씩 마시고 있었다.
*gulp 벌컥벌컥 마시다.
*gargle 입안을 가시다, 헹구다 표현도 함께 알아 두면 유용합니다.
*chug (음료를) 단숨에 들이켜다, (엔진 등이) 통통(칙칙)하는 소리를 내다.
*slurp (무엇을 마시면서) 후루룩 소리를 내다, 후루룩 마시다.
*chomp 쩝쩝 먹다(=munch)
*take a birdie = take a waterfall 입이 안 닿게 마시다

skip 건너뛰다, 굶다
It is too late. I might as well skip dinner. 너무 늦었네요. 저녁은 굶는게 나을 것 같아요.
debone (생선 등의)뼈를 발라내다, deboning 발골
break bread with ~와 함께 식사하다(=eat with)
빵을 함께 찢어 먹는 데서 나온 표현입니다.
I'd like to break bread with her someday. 언젠가 그녀와 함께 밥을 먹고 싶다.
I watch what I eat 식단 관리하고 있어. 먹는 거 신경 쓰고 있어.

잠과 관련된 표현들
I will turn in now. 나는 이제 잘거야.(= I will go to bed.)
I usually sleep in on Sunday mornings. 일요일아침은 대개 푹 잔다
I slept in this morning. 늦잠 잤다.

*sleep in (일부러)푹 자다, 늦잠자다
I slept like a baby. 푹 잤다.

I overslept this morning. 오늘 아침 늦잠을 자버렸어.
*oversleep (못 깨서)늦잠자다
I slept through my alarm. 알람 못 듣고 잤어.

I fell asleep(=I nodded off.) 잠 들었다.
I got half way through and fell asleep. 반정도 보다/읽다/하다 잠들었어요.
She was fast asleep. 그녀는 깊이 잠들었다.
*fast asleep 깊이 잠들어
He is out cold. 잠들었어요.(의식이 없는)

I am (still) half asleep. 비몽사몽이다. 잠이 덜 깼다
Are you still half asleep? 너 아직 잠이 덜 깬거야?

I drank coffee much this afternoon so now I am wide awake.
오후에 커피를 많이 마셔서 지금은 정신이 말똥말똥해.
Sometimes she sleep talks. 그녀는 가끔 잠꼬대를 한다.
I often talk in my dream. 나는 자주 잠꼬대를 해.

He was dozing in front of the TV. 그는 TV앞에서 졸고 있었어요.
I was just dozing off. 잠깐 졸았어요
*doze 졸다(주로 침대가 아닌 곳에서)

She is asleep이 She is sleeping 보다 일반적인 표현입니다.
어떻게 자고 있는지 설명할 때 sleeping으로 표현해 줍니다.
She was sleeping peacefully. 그녀는 평온하게 자고 있었다.

slumber[ˈslʌmbə(r)] 잠자다, 잠, 수면
slumber party(=sleepover/pajama party) (주로 아이들이 친구 등)집에 자면서 놀기
*sleep over 남의 집에서 자고 오다

Let me sleep on it. 생각 좀 해볼게.
I don't think he is losing any sleep over the financial situation.
그가 재정적진 상황 때문에 잠 못 자고 고민할 것 같지는 않아.
Do not lose sleep over it. 그 걱정하느라 잠 설치치 마라.
*lose sleep over/about 잠도 못하고~걱정하다.

I sleep on my side. 나는 모로 누워 잔다(옆으로 누워 잔다)

shut-eye 잠(sleep)/get some shut-eye 한숨 자다
not bat an eye(eyelash/eyelid) 한숨도 자지 않다, 눈도 깜짝 안 하다
He didn't bat an eye. 그는 눈도 깜짝 하지 않았다.

I didn't sleep a wink since I tossed and turned last night.
어제 밤에 뒤척이느라 잠을 한 숨도 못잤어.
*toss and turn 뒤척이다

power nap 기력을 회복하기 위한 낮잠
hit the sack/hit the hay 낮잠 자다
snooze(특히 낮에 침대가 아닌 곳에서)잠깐 자다, 눈을 붙이다
*if you snooze, you loose. 망설이다(꾸물거리다) (기회를) 놓친다!

Last night I had sleep paralysis. 어젯밤에 가위 눌렸어.
*paralysis 마비
흔히 사람들이 말하는 가위눌렸다는 얘기는 수면 중 마비 증상인데요, 그래서 가위눌렸다는 표현을 위와 같이 합니다.

I lost sleep over the exam. 시험때문에 잠설쳤어.
I am sleep deprived. 잠이 부족하다.(수면 부족이다)
*deprive 빼앗다, 주지 않다, 박탈하다
I should cut down on sleeping. 난 잠을 줄여야 돼.
*cut down 줄이다
I need to cut down on coffee. 커피를 줄여야 돼. 등으로 활용할 수 있습니다.

*cut back도 같은 의미로 사용할 수 있습니다.

Don't wait up for me. 늦을 거니까 기다리지 마. 먼저자
그냥 '기다리지 마'는 Don't wait for me. 입니다.

Can I crash at your place tonight?/Could I crash here? 나 여기서 자고 가도 돼?
Hey, come crash at my place tonight. 야, 오늘 밤 내 방에서 자고 가.
*crash 초대받지 않고 가다, 잠을 자다
I crashed my friend's party. 친구의 파티에 초대받지 않고 갔다.
Did I crash the party? 제가 초대받지 않고 온 거지요?
I crashed last night(= fell asleep very fast) 난 어제 밤에 잠에 빠져버렸어.

I stayed up until 3AM. 새벽3시까지 깨 있었어.

I am in my bed. 자고 있다. (기상 전이다)
I am on my bed. 침대 위에 있다.

wake up 잠에서 깨다 / get up (실제로)일어나서 움직이다
sleepyhead 잠꾸러기

기타 사람의 행동과 관련된 표현들
She started to weep controllably. 그녀가 걷잡을 수 없이 울기 시작했다.
*weep 눈물을 흘리다
She made me bawl my eye out. 그녀가 나를 펑펑 울게 만들었다.
*bawl one's eyes out 펑펑 울다.
The child was sobbing in his mother's arms. 그 아이는 엄마 품에 안겨 흐느껴 울고 있었다.
He gave a deep sob. 크게 한바탕 흐느껴 울었다.
*sob 흐느끼다
She burst into tears. 갑자기 울음을 터뜨렸다. (현재형과 과거형 동일함)
*burst 터지다 터뜨리다

I hit my funny bone. 팔꿈치를 찧었다.(모서리 등에 부딪혔을 때)

I bumped my head. 머리를 찧었다.

I burned/burnt my tongue. 혓바닥을 데였다.

I stubbed my toe. 발가락을 차였다.(찧었다)

*stub 발가락이 차이다, 몽당연필, 담배꽁초(=cigarette butt)

I tripped on the rug. 카페트에 발을 곱디뎠다.(헛디뎠다)

I cut myself. (칼에)베었다.

I slapped my finger. 손가락을 찧었다.

I tilted my head. 고개를 갸우뚱 했다(기울였다).

I nodded my head. 고개를 끄덕였다.

I clocked her. 내가 그녀를 때렸다.

I race down the stairs. 계단을 뛰어내려간다.

I have struck a match. 성냥불을 켰다.

*strike a match 성냥불 켜다

I am lighting a candle. 촛불에 불을 붙이고 있다.

I blew out the candle. 바람을 불어 촛불을 껐다.

I'll hum it for you. 내가 흥얼거려 볼게.

*hum 콧노래를 부르다. 흥얼거리다

He is always grumbling to me. 그는 항상 내게 투덜거린다.

*grumble 투덜거리다, 불만, 불평

Stop whining! 그만 좀 징징거려!

*whine 징징거리다, 끼익끽 하는 소리

My son keeps digging his eyes. 내 아들은 눈을 자꾸 비빈다

다음과 같은 단어/숙어를 활용해서 다양한 상황에서의 행동들을 표현해 보는 연습을 하면 실생활에서 많은 도움이 될 것입니다.

twirl 머리를 배배 꼬다, 빙글빙글 돌리다

curl (고데기로)머리를 말다 <-> straighten 머리를 피다

braid 머리를 따다, part 머리 가르마타다, comb 머리를 빗다/가는 빗

*brush 두꺼운 빗

rip out a page 페이지를 뜯어내다

crumple a page 페이지를 구기다

thumb through the pages 엄지손가락으로 책페이지를 넘겨보다

flick the pine cone 솔방울을 손으로 튕기다
chuck the stick 막대기를 아무렇게나 던지다(과거형 chucked)
make my bed 이불(침대)정리하다
flip through the channels 채널을 휙휙 넘기다
look out the window 창밖을 보다
run water in the pot 냄비에 물 받다
fluff the pillow 베개를 부풀리다
shovel/clear away the snow 눈치우다
sit up (straight) 똑바로 앉다 <-> stand up straight 똑바로 서다
twiddle fingers 손가락을 배배 꼬다

walk 걷다
stroll 한가로이 거닐다
brisk walk 빠른 걸음
stride 성큼성큼 걷다
stray 길을 벗어나다

inhale 숨, 연기 등을 들이마시다
exhale 숨, 연기 등을 내뱉다
clam up 입을 다물다 *clam 조개

smirk 히죽히죽 웃다
grin 활짝 웃다
giggle 피식 웃다

wiggle(=wriggle) 꼼지락거리다, (엉덩이를)씰룩 거리다
shiver 오들오들 떨다
slip 미끄러지다
bump into 걸어가다가 앞에서 찧다
trip on 걸려 넘어지다

limp 질질 끌다

hop 깡충깡충 뛰다. 뛰기

elbow 팔꿈치로 쿡쿡 치다

chuckle 빙그레 웃다

guffaw 시끄럽게 크게 웃다. 큰 웃음

pout (불만으로)입을 삐죽 내밀다

pronounce 발음하다, pronunciate 또렷하게 발음하다, pronunciation 발음

Chapter 3. 성격, 성향, 평가

My dad was a rolling stone. 우리 아빠는 한곳에 정착하지 못하는 사람이었다.
*rolling stone 주소/직업을 자주 바꾸는 사람(한 곳에 오래 정착하지 못하는 사람)

High-flyers in the industry typically earn 25 percent more than their colleagues.
업계에서 야심 많은 사람들은 동료들보다 보통 25%이상 수입이 많다.
*high-flyer 야심가, 성공욕이 강한 사람

I don't want you to tell this anyone. He is a gerophile.
누구에게도 얘기하지 않았으면 해. 그는 노인 성애자야.
*gerophile 노인성애자(나이 든 사람을 보고 성적 호감을 느끼는 사람)
<->pedophile(paedophile/paedophilia) 소아성애자

He is shy and reticent. 그는 수줍음이 많고 말이 없다.
*reticent[ˈretɪsnt] 과묵한, 말을 잘 안 하는
You are being cagey with me now! 넌 지금 나에게 말을 안 하려고 하고 있잖아!
You are cagey about your test. 너의 시험에 대해 말하려 하지 않잖아.
*cagey 말을 안 하는, 비밀스러운(=evasive, secretive)
She is such a gatekeeper. 그녀는 참 말을 안해주는 사람이에요.
*gatekeep 안 알려주다
*gatekeeping 안 알려주기
*gatekeeper 알려주지 않는 사람

I am wired that way. 난 원래 그래요.

대화 중에 '난 원래 그래' 라고 말해야 할 때가 많습니다. 그럴 때 적절한 표현입니다.

I am kind of tense person. 난 신경이 날카로운 편이다.

*tense 시제, 긴장한, 긴장된

My mom nags a lot. 우리 엄마는 잔소리가 심해요.

*nag 잔소리하다

His constant nitpicking is quite annoying. 그의 끊임없는 잔소리는 너무 짜증난다.

*nitpicking 일일이 간섭하는/함, 잔소리

He is hovering over us. 그는 우리 주변을 맴돈다.(사사건건 간섭한다)

*hover 맴돌다, 서성이다.

Nosy Jessica! 오지라퍼 제시카네.

Stop being so nosy. 오지랖 좀 그만 부려

Nosy people 오지라퍼들!

*nosy 참견하기 좋아하는, 오지랖 떠는

Could you stop being a backseat driver? 잔소리/참견 좀 그만 해 줄래?

My friend, John, is such a backseat driver. 내 친구 John은 참견하길 좋아한다.

*backseat driver 참견하기 좋아하는 사람

I am not a wimp! 난 겁쟁이가 아니라고요!

wimp 겁쟁이, 약골(=weed), wimp out (of something) 하려던 것을 겁을 먹고 안 하다

겁쟁이라는 다른 표현들도 살펴 보겠습니다.

*coward 겁쟁이, 비겁자/cowardly 겁 많은, 비겁하게

*scaredy-cat 겁쟁이

He is a morning person. 그는 아침형 인간이다.

I am a night owl. 나는 저녁형 인간이다.

She is a slob. 그녀는 게으르고 지저분하다.

*slob (지저분한)게으름뱅이

My dad is a terrible hoarder. He never throws anything away.
우리 아빠는 지독한 축적가다. 절대 아무것도 버리지 않는다.
*hoarder 축적가, 수집광

He is so patronizing to me. 그는 나에게 꼰대 짓을 한다.(가르치려 든다)
*condescending 거들먹거리는 잘난 체하는.
*condescending old person 꼰대
I am not square. 난 보수적이지 않다, 꼰대 같지 않다.
Be there or be square. 꼭 와.(어딘 가에 오라고 초청할 때)
*square 고지식한, 재미없는
I am not going to be a cliché. 난 진부한 사람이 되지는 않을 거야.
*cliché 진부한, 틀에 박힌 사람
He is dull. 그 사람은 따분한 사람이다.
*dull 따분한, 누그러뜨리다(->dull the pain 통증을 완화하다)
boomer! 꼰대!
*baby boomer는 1940~60년대 미국의 베이비 붐 시대에 태어난 이들을 일컫는데 요즘은 꼰대라는 표현으로 비꼬아서 자주 사용됩니다.

사람들의 성향 중 '정말 ~를 못한다'라는 표현은 어떻게 할까요?
상황별로 알아보겠습니다.
I can't/couldn't cook/dance/song to save my life. 난 정말 요리를/춤을/노래를 못해.
I am tone deaf. 난 음치야./I am a bad singer. 난 정말 노래 못해.
I have two left feet. 난 몸치야.
He is so gung-ho for his job. 그는 그의 직업에 매우 열정적이다
*gung-ho 매우 열광적인, 용맹한
He really went to town on it. 그는 정말 그걸 열심히 했네
*go to town 열정적으로 하다. 먹다

I am not big on math things. 난 수학 같은 건 별로야. 좋아하지 않아.
I am not big on walking fast. 난 빨리 걷는 건 별로야. 안 좋아해.
*big on ~대단히 좋아하여, ~에 열광하여
I suck at math. 난 수학 잘 못해.

She is so brazen. 그녀는 참 뻔뻔해.
*brazen 뻔뻔한, 놋쇠로 만든, 황동색의
뻔뻔함과 관련된 다양한 표현들을 보겠습니다.
The audacity is on another level. 뻔뻔함이 수준이 다르구만.
The audacity! 뻔뻔하구만!/What a nerve. 참 뻔뻔해.
*audacity 뻔뻔함 *audacious 대담한, 뻔뻔한
He unabashedly rattled off a story. 그는 염치없이 이야기를 늘어놓았다
*unabashed 부끄러운 줄 모르는, 뻔뻔한/unabashedly 염치없이

'눈치'라는 표현은 정말 다양하게 표현될 수 있는데요, 다음 표현들을 함께 보실 까요?
I catch on quick. 난 눈치가 빠르다.
*catch on(to) 습득하다, 이해하다, 파악하다
He is very quick to catch on to things. 그는 사태 파악이 빠르다.
The new trend began to catch on quickly. 새 트렌드가 빨리 인기를 끌기 시작했다.
*catch on은 인기를 끌다의 의미도 있습니다.
Nobody will notice. 아무도 눈치 못 챌 거야.
I could tell. 눈치 챘었어.
Can't you take a hint? 눈치 못 채겠니?
I am not an idiot. I pick up on things. 난 바보가 아니에요. 나도 눈치라는 게 있어요.
Really don't pick up on social cues, do you? 넌 정말 눈치가 없구나, 그렇지?
*pick up on 이해하다, 알아차리다, 눈치채다
Did you pick up on that? 알아 차렸어? 눈치 챘어?
He picks up on many things in English class. 그는 영어 수업에서 많은 것을 이해한다.
He doesn't read social cues. 그는 눈치가 없다.
*social cue 사회적 눈치
Read the room! 눈치 챙겨(분위기 파악하라는 표현)/
He can't read a room. 그는 분위기 파악을 못해.
She's clueless. 그녀는 눈치가 없어.
I am kind of a ready witted person. 나는 눈치가 좀 빠른 편이에요.
*ready witted 눈치가 빠른
You are very perceptive. 당신은 직관력이(눈치가) 대단하군요.
*perceptive 통찰력(직관력)있는, 지각의

I have (a) thick skin. 난 철판이 두껍다.
얼굴이 두껍다, 비판에 둔감하다 등의 의미로 쓰이는데요,
Don't worry, I am a grown man. I have a thick skin. 염려 마, 난 어른이잖아. 끄떡없어.
등으로 표현할 수 있습니다.

그럼 반대로 얼굴이 두껍지 않다. 비판에 예민하다. 등으로 쓰려면?
I have a thin skin.이나 I am not thick skinned.로 표현할 수 있습니다.
He is kind but a bit thick. 그는 친절한데 좀 멍청해.
*thick은 '우둔한'의 의미도 가지고 있습니다.
She's in the thick of it 그녀는 지금 매우 바쁠 때야.
*be in the thick of ~에 깊이 관여되다

I am not big on holding things with regret. 난 후회 잘 안 하는 편이야.
He is a ruthless dictator. 그는 무자비한 독재자이다.
*ruthless 무자비한, 인정사정 없는

She has low self-esteem. 그녀는 자존심이 낮다.
*self-esteem 자존심
My friend, Tom, is very free hearted. 내 친구 Tom은 매우 대범하다.
*free hearted 대범한
I can say she is a sociable woman. 그녀는 사교적인 사람이라 말할 수 있다.
*sociable 사교적인

I would like to get along with him because he is modest.
나는 그 사람이 겸손해서 잘 지내고 싶다.
*modest 겸손한

He is a good sport. 그는 매너 있게 패배를 인정하는 사람이다.
Everyone was a good sport. 모든 사람들이 매너 있게 패배를 인정했다.
*good sport에 대해 Merriam-Webster에서는 *a person who is not rude or angry about losing*로 정의하고 있습니다.
지는 상황(일이 뜻대로 되지 않는 상황)에서 무례한 행동을 하거나 화를 내지 않는 사람이라는

의미입니다. 반대 표현은 bad sport가 되겠습니다.

He is a larger than life character. 그는 허풍을 떠는 성격이다.
*larger than life 허풍을 떠는, 호들갑을 떠는
Her husband is an incorrigible flirt. 그녀의 남편은 구제 불능의 바람둥이이다.
*incorrigible 고질적인, 구제불능의
*flirt(=womanizer) 바람둥이, 호색가
You are a lost cause. 넌 참 답 없는 사람이다.

He is an impudent young fellow. 그는 버릇없는 어린 녀석이다.
*impudent(=impertinent) 무례한, 버릇없는
He is a real spoiled brat. 그 애는 정말 버릇없는 놈이다.
*spoiled brat 버릇없는 놈(어린아이)
Their manners were so uncouth. 그들의 태도는 매우 무례했다.
*uncouth 무례한, 상스러운(=coarse)

He was known as a veracious man. 그는 진실한 사람으로 알려져 있다.
*veracious 진실을 말하는, 진실한
You have a way with people. 사람들을 잘 다루시네요.
*have a way with ~에 소질이 있다, 요령이 있다.
She is so opinionated. 그녀는 자기주장이 강하다
*opinionated 자기의견을 고집하는, 독선적인
I think she is living in a bubble. 난 그녀가 자기만의 세상 속에 사는 것 같아.
She is a tough cookie. 그녀는 단호한(독한) 사람이다.
I am gullible. 난 귀가 얇다. 남을 잘 믿는다.

He is an acquired taste. 처음엔 별로 지만 경험할수록 좋아지는 사람이다.(음식에도 사용)

He is a vibe killer. 그는 분위기 깨는 사람이야.
*vibe killer(=party pooper) 분위기(산통)깨는 사람

He is exuding charisma when he is talking to his juniors.

그는 후배들과 얘기할 때 카리스마를 풍긴다.
*exude[ɪɡˈzuːd] 물씬 풍기다, 흘리다
I am a people person. 나는 사람들과 어울리는 거 좋아해.

She tends to act passive-aggressive sometimes.
그녀는 가끔 수동공격적 행동을 하는 경향이 있다.
*passive aggressive 수동적으로 공격적 성향을 드러내는

She is clumsy. 그녀는 서툴다./(덤벙대서)손이 많이 간다
*clumsy 투박한, 서툰, 덤벙대는
손이 많이 간다의 의미로는 high maintenance도 있는데요,
관심, 시간, 돈, 노력 등이 많이 가야 하는 성격을 말 할 때 사용합니다.
(주로 돈이 많이 들어간다 의미가 강함)
She is high maintenance. 그녀는 손이 많이 가요(돈이 많이 들어요)

You are very thoughtful.(=very considerate) 넌 참 사려 깊구나(배려심이 깊구나)
She is so high strung. 그녀는 너무 예민하다.(신경질적이다)
*strung(string의 과거, 과거분사) (형용사)극도로 예민해진, 신경질적인
I am homebody. 나 집돌이(집순이)잖아.
I actively avoid sesame leaf. 난 깻잎은 절대 안 먹어요. (피하려고 해요)
I am altruistic. 나는 이타적이다. <-> I am selfish. 나는 이기적이다.

She is vicious! 그녀는 악랄해!

She is very upfront.(=She is straightforward.) 그녀는 솔직해.
*straightforward 솔직한, 간단한, 쉬운

I run cold but my husband runs hot. 나는 추위를 많이 타는데 남편은 더위를 타요.
I get cold easily.(=I am sensitive to the cold.) 나는 추위를 잘 탄다.

That young man is an introvert. 그 젊은이는 내성적인 사람입니다.
*introvert 내성적인 사람 <-> extrovert 외향적인 사람

I had trouble making decisions not because I was a procrastinator.
내가 일을 미루는 성격이기 때문에 결정하기 어려웠던 것이 아니다.
*procrastinate (일을)미루다
*procrastinator 일을 미루는 사람

She is the real yapper. 그녀는 정말 말이 많다.
She was a yapper! 그녀는 정말 말 많은 여자야.
정관사 the, 부정관사 a 둘 다 사용할 수 있습니다.
She is talkative./She is chatty. 라고 표현해도 좋습니다.
He talks too much. It's like verbal diarrhea.
그는 말을 너무 많이 해요. 마치 아무 말 대잔치 같아요.
*verbal diarrhea 병적 다변증(언어적 설사 라고 하는 의미)
She is acting like a bighead. 그녀는 거만하게 군다.
*bighead 자만심, 자만하는 사람

She is kind of hermit. she always hides in her house.
그녀는 은둔자 같은 면모가 있다. 항상 집에 숨어 지낸다.
*hermit[ˈhɜːrmɪt] 은둔자

She is spunky. 그녀는 당돌하다. 투지에 넘친다.
*spunky 용감한, 투지에 찬

He/She is a real catch. 놓치기 아까운 사람이다.
*real catch 놓치기 아까운 사람
I am a catch. 나 괜찮은 사람이야.
*There's a catch 꿍꿍이가 있어.

You are such a hypocrite.[ˈhɪpəkrɪt] 넌 정말 위선자야.

I think he is a weak and indecisive man. 나는 그가 허약하고 우유부단한 사람 같아.
*indecisive 우유부단한(=wishy-washy), 뚜렷한 해답을 내놓지 못하는

My grandmother is an empath. 우리 할머니는 공감능력이 매우 뛰어나다.

*empath 공감능력이 매우 뛰어난 사람

empathy 감정이입 공감

sympathy 동정. 연민

apathy 무관심

antipathy 반감(=hostility)

Chapter 4. 정신, 심리, 감정

I am tickled pink.(=I am on cloud nine.) 난 기분이 너무 좋아
=I am over the moon.
You just made my day. 덕분에 기분 좋아졌어./매우 고마워.
I feel fulfilled. 뿌듯해

I feel empty inside. 난 허무해.
What a letdown. 김빠져, 허탈해
I am in a funk. 나는 슬퍼요.(무기력하고 불행한 감정이다)
*funk 펑크(음악), 두려움, 걱정, 피하다
*funky 비트가 강한, 파격적이고 멋진, 지독한 악취가 나는

My life is stuck in a rut now. I want to go abroad.
내 삶은 타성에 젖어 있어요. 해외로 나가고 싶습니다.
*be stuck in a rut/go around in circles/be in a stagnant situation
매너리즘에 빠지다, 타성에 젖다, 변화 없는 삶에 갇히다, 정체되다.
*rut 판(틀)에 박힌 생활, (부드러운 땅에 생긴)바퀴 자국
*stagnant (물, 공기가)고여 있는, 침체된(=static)

I feel very icky now. 매우 찝찝하다(목욕 등을 안 해서)
What's your ick? ->What is your pet peeve?와 유사한 의미입니다.
*ick(감탄사) 흑, 앗!(혐오, 공포 등을 나타냄), 싫은 것
*icky (끈적끈적하게) 기분 나쁜

What is your pet peeve? 너가 극혐 하는 건 뭐야?

Drunk texting is pet peeve. 술 먹고 문자 보내는 건 정말 별로야.
*pet peeve(=pet hate) 극혐 하는 것. 불쾌 해 하는 것
*peeve 약 올리다, 집적거리다, 약 오르다

That is the last thing I want to do now. 그건 내가 지금 정말 하고 싶지 않은 일이야.
*last thing someone want 정말 싫어하는 것

It is off putting. 진짜 별로야. 정떨어져
*off putting 거슬리는, 기분 나쁜, 정 떨어지는
You are so obnoxious. 너 진짜 기분 나빠. 불쾌해. 진상이야.
*obnoxious 불쾌한, 몹시 기분 나쁜

I feel a bit iffy today. 오늘 좀 기분이 이상해(무언가 부족한 상태)
*iffy (기분이, 상태가)애매한, 안 좋은

I felt frustrated at the lack of progress. 나는 진전이 없어서 불만스러웠다.
*frustrated 좌절감을 느끼는, 불만스러워 하는
I crave something sweet. 단 것이 당긴다.

무언가를 원할 때 사용할 수 있는 표현들은 상당히 다양한데요, 한번 알아볼까요?
*crave 갈망하다
I am craving burgers. 햄버거가 먹고 싶다.
I am craving for burgers보다는 I have a craving for burgers.가 더 자연스럽습니다.
I am in the mood for burgers.
I could go for burgers.
I feel like having burgers.
I could use some burgers.
모두 햄버거가 먹고 싶다는 표현입니다.

*could use
can use의 과거형으로 사용될 경우가 아니면 could use는 ~가 필요하다, ~를 얻을 수 있으면 좋겠다의 의미로 사용됩니다.

I could use some coffee. 난 커피가 필요해, 마시고 싶어.
My Japanese could use some work. 내 일본어는 좀 부족 해.(노력이 필요해)
I could use your support. 너의 도움이 필요해.
I could use a friend right now. 난 지금 친구가 필요해.
Your bowing could use some work. (현악기의) 활 쓰는 기술이 좀 부족해
I am game for trying that pizza for dinner. 오늘 그 피자를 저녁으로 먹어볼까 해.
*game for ~할 마음이 있는, 기꺼이 ~하는
I am on edge. 나는 신경이 날카롭다/불안하다/걱정이 된다
->위태롭다, 불안하다 등의 의미로 경제적 상황 등에는 사용하지 않습니다.

I was haunted by guilt. 나는 죄책감에 사로잡혀 있었다.
*haunt 나쁜 생각이 머리를 맴돌다, 귀신이 출몰하다.
*haunted 걱정이 가득 한, 귀신이 출몰하는
*haunting(아름답거나 슬프거나 무서워서) 잊을 수 없는
a haunting melody/experience/image 잊을 수 없는 멜로디/경험/이미지

A mood of melancholy descended on me. 우울감이 나를 엄습했다.
*melancholy 우울한, 우울감

I got burned/burnt out. 나 번아웃이 왔어.
=I am experiencing burnout/I have burnout.
*burn out 에너지를 소진하다, burnout 극도의피로/연료소진
I am lazy to study for exam. 시험 공부하기 귀찮다.
I was bored with people my age. 내 또래 사람들과 함께하는 것이 지루했다.
*be bored with ~에 지루한, 싫증난
*people my age 내 또래 사람들 *peer(s) 또래, 동년배

He came to see me, all bright-eyed and bushy-tailed.
그는 행복하고 에너지 넘치는 상태로 나를 보러 왔다.
*bright-eyed and bushy-tailed 행복하고 에너지가 충만한

I have butterflies in my stomach. 난 지금 긴장되고 떨려.

He must be beside himself. 그는 정신이 나간 게 분명하다
I was beside myself. 제가 정신이 나갔었네요.
I am woozy. 난 정신이 멍해.

I am all over the place. 정신이 없다. 바쁘다.
How are you? 라는 질문에 I am everywhere. 라고 답하는 경우도 있긴 한데요, 집중 못하고 정신이 없다 의미로 쓰일 때 all over the place가 보편적으로 사용됩니다.

I am stumped. 당황스럽다.
*stump 쩔쩔매게 하다(=baffle)
I am actually baffled. 난 사실 당혹스러워.
I am quite baffled why she hasn't sent me an email.
그녀가 왜 이메일을 안 보냈는지 나는 꽤 당혹스럽다.
*baffle 완전히 당혹스럽게 하다, 도저히 이해가 안가다

I am at my wit's end. 어찌할 바를 모르겠다.
I was embarrassed. 당황스러웠다, 창피함, 죄책감 등 포함
I am(all) at sea.(= I am confused.) 나는 매우 혼란스럽다, 어쩔 줄 모르겠다.
I was flustered. 난 안절부절 못 했었다.(모르는 말을 듣거나 갑자기 많은 일로 인해)
I am having a meltdown. 멘붕이 온다.
I am floored. 깜짝 놀랐어. 어안이 벙벙했어.
My mom is shaken to the core by the news. 우리 엄마는 그 소식에 극심히 흔들렸다.
*to the core 속속들이, 철저히, 완전히
*shaken/shocked to the core 큰 충격을 받다

The news hit me like a ton of bricks. 그 소식에 엄청난 충격을 받았다.
It threw my sister and me for a loop. 나와 누나는 큰 충격을 받았었지.
*throw (someone) for a loop 당황스럽게 하다, 큰 충격을 주다
It hit me like I don't want to live by myself by the time I turned 40.
내가 마흔이 되었을 즈음에 갑자기 혼자살기 싫다는 생각이 들었다.
*hit 때리다, 부딪치다

I was taken aback by his word. 그의 말에 놀랐다.
*take ~ aback ~를 깜짝 놀라게 하다
I was flabbergasted when I heard that news. 그 소식을 들었을 때 난 무척 놀랐다.
I'm so thrown by this. 너무 충격적이에요.
놀라게 하다는 의미를 가진 단어로는 flabbergast, astonish, amaze 등이 있습니다.
The news astonished everyone. 그 소식은 모두를 놀라게 했다.

Her family is definitely devastated. 그녀의 가족은 분명 엄청난 충격을 받았다.
*devastated[ˈdevəsteɪtɪd] 엄청난 충격을 받은

My head is spinning. 머리가 어질어질 하네요.
*spin 빙빙 돌다, 돌리다

His activity is dealing a severe blow to his boss.
그의 행동(활동)은 그의 보스에게 엄청난 충격을 주고 있다.
*hit/strike/deal a heavy blow to
~에 크게 영향을 미치다, 충격을 주다

His call galvanized them into action. 그의 전화에 화들짝 놀라 그들이 행동에 나섰다.
*galvanize 충격요법을 쓰다

I am so salty now. 난 지금 너무 짜증나.
*salty 짜증나는 (=grumpy/cranky) 심술내는, 짜증내는

I trembled at the thought of having to make a speech.
연설을 해야 한다는 생각에(생각만해도) 떨렸다.
*tremble (감정으로 인해)떨리다

I am stressed out. 스트레스 받는다.
Don't stress me out about this. 이걸로 스트레스 주지 마.

It is pressuring to keep talking about it. 그것에 대해 계속 얘기하는 것이 부담스러워.

Enough is enough. 더 이상은 안돼(계속 두고 볼 수 없어)
비슷한 의미로,
I've had enough./I've had it up to here. 참을 만큼 참았어.
I've had it with you. 너라면 이제 지긋지긋하다.
I am getting fed up with her. 그녀라면 이제 진절머리가 나요.
*get fed up with ~에 진절머리가 나다

My emotions got the better of me. 내가 감정에 치우쳤었네요.
Sometimes I let my emotions get the better of me. 난 가끔 감정에 치우칠 때가 있어.

I just needed to vent for a minute. 잠시 분노를 좀 표출하고 싶었어요. 하소연을 하고 싶었어요
*vent 분노, 슬픔 등을 터뜨리다, 통풍구

Don't keep it bottled up. 감정을 숨기지 마. 혼자 속 끓이지 마.
*bottle up(=repress) 감정을 억누르다, 숨기다

I wear my heart on my sleeve. 내 속내를 다 말한 거예요.
*wear/have one's heart on one's sleeve. 감정을 숨기지 못하다.

What you need to do is to lay your cards on the table.
너가 해야 할 것은 솔직하게 다 털어 놓는 거야.
*lay one's cards on the table. 솔직하게 털어놓다. 속내를 다 드러내 보이다.
He was an emotional crutch for me.
그는 내가 정서적으로 많이 기댈 수 있었던 사람이었다.
*emotional crutch (정서적으로, 감정적으로)기대고 의지하는 곳
부정적 의미: 감정을 풀어 내는 대상으로 사용되기도 합니다.
*crutch 목발, 지나치게 의지하게 되는 사람(것)
What are you banking on? 뭘 믿고 있는 거야? 뭐를 의지하고 있는 거야?
*bank on 의지하다, 의존하다, 확신하다

It's hard to keep a straight face. 웃음 참기가 어렵다
*straight face 무표정한 얼굴, 정색

Chapter 5. 신체, 생리현상

I gained weight. 나 살 쪘어.
*gain weight=put on weight

I experienced severe withdrawal symptoms after quitting smoking.
나는 담배를 끊고나서 심각한 금단증상을 경험했다.
*withdrawal symptoms 금단현상(증상)

I am beat. 정말 지쳐. 녹초가 됐어.
*It beats me. 전혀 몰라. 아예 몰라

힘들고 지치다 라는 표현에는 여러가지가 있습니다. 유용한 표현들을 더 알아보겠습니다.
I feel(am) drained./I am running on fumes./I am worn out.
*worn out 닳고 닳은, 매우 지친
I am wiped out.
*wipe 닦다 wife out 괴멸 시키다. 자빠지다. 넘어지다.
I am knocked out./I am spent.
After the grueling schedule, I felt spent.
매우 힘든 일정 이후에 난 완전히 지쳐버렸다.
*grueling/gruelling 녹초로 만드는, 매우 힘든, 엄한, 엄벌, 혼냄
*gruel 귀리 죽
I am on my last legs. 나는 죽기 일보직전이야. 매우 지쳤어.
*the last leg '마지막 일정' 이라는 표현도 있습니다.
The president will visit Seoul on the last leg of his tour.
대통령이 그의 순방 마지막 일정으로 서울을 방문할 것이다.

You look a bit peaked today. 너 오늘 좀 지쳐 보이네(힘들어 보인다/창백해 보인다)
*peak 절정, 절정에 달하다, 절정기의, 모자의 챙(차양)
*peaked(=peaky) 아픈, 병든, 창백한

I just zoned out. 의식을 잃었어요. 멍 해졌어요.
*zone out 의식을 잃다, 멍해지다
space out (집중을 못하고 멍해지다) (속어)멍 때리다
I am in the zone 난 집중하고 있어.(무언 가에 깊이 빠져 있다)

I feel a bit funny. 속이 좀 안 좋다
My stomach feels funny. 배가 살짝 아프다. funny(우스운 말고도 '안 좋은'의 의미로 사용)

신체 상태와 관련된 다양한 표현들을 살펴 보겠습니다.
My lips/hands are chapped. 입술이/손이 텄다
How do I get rid of a hangnail? 손 거스러미는 어떻게 없애야 하나요?
*hangnail 손 거스러미(피부 등이 건조해서 삐죽하게 일어나는 살)
I have dry eyes. 눈이 뻑뻑해요.
My eye twitch(es). 눈이 실룩거려요.(경련이 나요)
My eyes got gummed up. 눈곱이 끼었어요.
My eyes get bloodshot. 눈이 충혈되네요.
I itch all over. 온몸이 가렵습니다./I have an itch. 가렵습니다.
*itchy 가려운, 가렵게 하는 *itch 가렵다, 가렵게 하다, 가려움

I have phlegm. 가래가 꼈다./I have phlegm in my throat. 목에 가래가 끓어요.
I (literally) lost my voice. 목소리가 쉬었어요.
My throat feels scratchy. 목이 칼칼해요(=I have a scratchy throat.)
I got bloated face. 얼굴이 부었어요.(=My face is bloated.)
*bloated face 부은 얼굴(=puffy face), or 'swollen face' 라고도 할 수 있습니다.
*bloat 붓다

I feel bloated. 속이 더부룩해.
My eyes are puffy. 눈이 부었어요.

My ears are muffled. 귀가 먹먹합니다.
I am out of breath. 나는 숨이 찹니다.(가쁩니다)
I have the hiccups. 딸꾹질이 납니다.
I have a nosebleed. 코피가 나요.

컨디션이 좋지 않다, 몸이 편치 않다 라는 다양한 표현들을 보겠습니다.
'몸이 편치 않다'를 직역해서 My condition is not good. 라고 표현하지는 않습니다.
맞는 표현들은,
I am not feeling well(so hot).
I don't feel well(so hot).
I am feeling unwell.
I feel/am out of sorts.
I am laid up.
I am sick.
I feel/am under the weather. 몸이 안 좋다. (기분 안 좋다가 아닙니다.)
I am famished. 배가 너무 고프다.
*famish 굶다, 굶주리게 하다 *ravenous 배가 고파 죽을 지경인
My stomach is growling. 배가 꼬르륵 댄다.
*growl 으르렁 대다
I am a bit peckish. 배가 약간 출출하네.
*peckish 배가 약간 고픈

I think I am PMSing. 생리전이라 그런 거 같아.
*Premenstrual Syndrome 생리전증후군

생리적인 현상을 나타내는 표현들을 알아 보겠습니다.
I've been dry heaving all weekend. 주말내내 헛구역질 했어.
*dry heave/retch 헛구역질하다
*heave(억지로 힘주어)끌어올리다
I have to tinkle. 소변이 마렵습니다.
*tinkle 쨍그랑 소리, 전화, 소변
What if I need to tinkle? 소변 마려우면 어떻게 해?

Give me a tinkle before you leave. 떠나기 전에 전화 줘.

방귀를 뀌다 라는 표현은 여러가지로 해 볼 수 있습니다.
break wind, fart, let off, cut the cheese 등 인데요,
Who farted? 누가 방귀를 뀌었어?
I just let off. 내가 방귀를 뀌었어.
Cutting the cheese is a physiological phenomenon. 방귀는 생리 현상이에요.

신체적인 행동을 나타내는 표현들은 어떤 것들이 있을까요?
plug ears/nose 귀. 코를 막다
pick one′s nose 코를 후비다, 코딱지를 파다
*booger/bogey 코딱지
pick one's ears 귀를 후비다, 귀지를 파다
*earwax 귀지
pick one′s teeth 이쑤시개로 이를 쑤시다
*toothpick 이쑤시개
spit out phlegm[flem] 가래를 뱉다
scrunch nose 코를 찡긋거리다.
grind teeth 이를 갈다
My son grinds his teeth in his sleep. 우리 아들은 잘 때 이를 간다.
blink(눈을)깜빡이다
*flicker 깜빡이다 *flicker headlight 전조등을 깜빡이다
*twinkle은 깜빡이다 와 가끔 혼동되는데요, 반짝반짝하다(=glitter)의 의미 입니다.
smirk 히죽히죽 웃다
Stop smirking at me. 날 보고 히죽히죽 웃지 마.
moan (아파서)신음하다. 투덜거리다
snore 코를 골다, 코고는 소리
sneeze 재채기하다, 재채기
yawn 하품하다, 하품
suppress a yawn 하품을 참다
sniff 킁킁거리다
burp 트림하다(=belch), 트림을 시켜주다

hiccup(hiccough)딸꾹질하다, 딸꾹질, catch a hiccup 딸꾹질을 참다
raise eyebrows 눈썹을 찡긋 올리다
sniffle 훌쩍거리다. 훌쩍거림
clear throat 목(청)을 가다듬다(헛기침을 해서)
flare nostrils 코를 벌름거리다
furrow brows 미간(눈살)을 찌푸리다
squint (찡그리고)눈을 가늘게 뜨고 보다/(명사)사시, 사팔뜨기

tickle 간지럽히다
I feel tickling! /It tickles! 간지러워요!
I am ticklish. 나는 간지럼을 잘 탄다.

I am flexing. 힘주고 있는 중이야.
I can't flex my fingers 손가락에 힘을 줄 수가 없어.
*flex 몸을 풀다, (신체부위를) 구부리다, 힘을 주다

Chapter 6. 환경적/신변 상태

I have lived a sheltered life. 나는 안락한 삶을 살아왔다.
*sheltered 비바람이 들이 치지 않는, 보호받는

I am strapped for cash. 돈이 쪼들린다.
비슷한 표현으로 I am short on cash.가 있습니다.
돈이 쪼들려서 간신히 살아가고 있다는 어떻게 표현할까요?
They eke out a precarious existence. 그들은 그날그날 간신히 연명해 나간다.
*eke out 보충하다, 간신히 생계를 이어가다.
You know, our situation is precarious. 알잖아, 우리 상황은 위태로워.
*precarious 불안정한, 위태로운
불안정한, 위태로운 의미의 다른 단어들을 보겠습니다
*wobbly=shaky 불안정한, 떨리는
wobbly singing of the choir 합창단의 떨리는 노래 소리

Have you ever had an existential crisis? 생존의 위기를 느껴본 적 있어?
*existential crisis (삶과 죽음이 달린)생존적 위기
Now I am on thin ice as I shared the uncorroborated scandal.
나는 확인되지 않은 스캔들을 공유했다가 지금 아주 위태로운 상황에 처했어.
*uncorroborated 확인(입증)되지 않은(=unconfirmed/unsealed/unascertained)

Hey, don't you skate on thin ice. 이봐! 아슬아슬한 짓 하지 마.
*on thin ice 위태로운
*skate on thin ice 아슬아슬한 짓을 하다, 어려운 문제를 다루다
This is a tightlope walk. 이 일은 아슬아슬한(위험한) 거예요.

It's like walking a tightlope. 신중하게 해야 할 일이에요.
*walk a tightlope 아슬아슬한 일이다(작은 실수가 큰 피해를 가져올 수 있는)

I am broke. 나는 완전 거덜났어

Times are hard. My financial burdens are considerable. 힘든 시기야 내 경제적부담이 상당해.
*considerable 상당한, 꽤 많은('고려할 수 있는'이라고 해석하지 않습니다.)

He's better off without her. 그는 그녀가 없는 편이 더 낫다.
She is much better off than me. 그녀가 나보다 훨씬 더 잘 산다.
*better off 형편이 더 낳은

I have(got) a lot on my plate. 내가 지금 할 일이 너무 많아

Just leave him high and dry. 그 놈 그냥 먹고 살기 힘들게 내버려둬.
*high and dry 먹고 살기 막막한, 물 밖에 나와있는

Some people just have money to burn but I don't.
어떤 이들은 돈이 남아 돌지요, 나는 안 그래요.

I am loaded today. 나 오늘은 돈이 많아요.

Chapter 7. 외모, 의상, 화장

외모와 관련된 표현들

As an actress, model and overall 'it girl', Jessica is iconic to the fashion industry.

여배우, 모델 그리고 전반적인 'it girl'로서 제시카는 패션 산업의 상징이다.

*it girl 섹시하고 매력적인 젊은 여자

He said you are easy on the eyes. 그가 당신은 매력적이라 이야기했어요.

*easy on the eyes 눈길을 사로잡는, 매력적인

She has a fair skin. 그녀는 피부가 하얗다.

*fair skin 흰 피부

You look better in person. 넌 실물이 나아.

He is ruggedly handsome. 그는 강인하게 잘 생겼다.

*rugged[ˈrʌɡɪd] (매력적으로)강인하게 생긴, 바위 투성이의, 단호한/부사형 ruggedly

I am getting crow′s feet. 눈가에 주름이 생기고 있어요.

*crow′s feet 눈가의 주름(여기서 까마귀 발은 눈가의 주름을 의미합니다.)

You look young for your age. 당신은 동안이네요.(나이에 비해 어려 보인다)

You never get old? 이 문장을 '당신은 늙지 않는다' 라고 해석하지 않습니다.

get old는 '질리다'의 의미를 가지고 있습니다. It never gets old. 질리지 않는다.

그렇다면 어려 보인다, 안 늙는다의 표현은 어떻게 할까요?

You haven′t aged/you don′t age at all 등으로 표현합니다.

I don′t wanna age myself. 나이대로(or 더) 들어 보이게 행동하고 싶지 않아

I don′t wanna act my age. 나이 값을 하고 싶지 않아.

She woke up the next morning with bedhead.
그녀는 다음날 아침 머리가 헝클어진 채 일어났다.
He leant against the bedhead reading his book.
그는 침대판자에 기대어 책을 읽었다.
*bedhead (자고 일어나)헝클어진 머리, 침대 머리 쪽(판자)
*dishevel 머리를 부스스하게 하다. 옷을 단정치 못하게 입다
*disheveled 헝클어진, 단정치 못한

He is a man of enormous girth. 그는 엄청난 허리둘레를 가졌다.
*enormous 거대한 막대한
*girth 허리둘레. 둘레 치수
the girth of tree trunk 나무 몸통둘레

She is insecure about her looks. 그녀는 외모에 자신 없어 한다.

You really stand out today. 너 오늘 눈에 확 띈다.(돋보인다)

I´m concerned about this protruding teeth. 뻐드렁니(덧니)들이 신경 쓰입니다.
protruding teeth/mouth 뻐드렁니/툭 튀어나온 입
*protrude 돌출되다

화장, 꾸미기와 관련된 표현들
I took off my makeup. 화장 지웠어.
You look really good without makeup. 너는 화장 안 해도 좋아 보여!
I am makeup-free. 나 화장 안 했어.
I am bare faced now 지금 생얼이다.
메이크업하기 전 상태를 '생얼'이라 하여 raw face라 하지는 않습니다.

Do you have a beat face today? 오늘 화장이 완벽하게 잘 되었나요?
*beat face 화장이 완벽하게 잘 된 상태
How to beat your face like a pro. 어떻게 프로처럼 화장을 할 것인가.

My mascara is flaking. 마스카라가 떨어져 나오네요.
*flake 떨어져 나온 얇은 조각
라면에 들어있는 후레이크가 바로 flake입니다.
*flaky 얇게 벗겨지는
flaky pastry 얇게 벗겨지는 페이스트리
She is blotting her lipstick. 그녀는 립스틱을 닦아내고 있는 중이다.
*blot (액체 등을 종이나 천으로)닦아내다

My lipstick is smeared. 립스틱이 마구 번졌다.
*smear 덕지덕지 바르다, 문지르다
Children are smearing mud on the walls. 애들이 벽에 진흙을 마구 쳐 바르고 있다.

She spruced up for her job interview. 그녀는 취업면접을 위해 맵시를 냈다.
*spruce 말쑥한/spruce up 단장하다, 맵시 있게 가꾸다.(외모나, 의상의 상태 모두 해당될 수 있습니다)

Will you stop preening yourself. 치장 좀 그만 할래?
*preen 치장하다, 꾸미다

Make sure the watch is snug on your wrist. 시계가 손목에 잘 맞게끔 착용하세요.
*snug 포근한, 아늑한(=cosy), 꼭 맞는, pub에서 몇 사람만 앉을 수 있는 작은 방

헤어, 의상과 관련된 표현들

Your hair is out of place. 머리카락이 삐쳐 나왔어요
Oh! you put your hair in a bun. 오~ 쪽진 머리 했네! (롤빵모양으로 말아 올린 머리)
I was wearing a wig as a disguise. 나는 변장의 일환으로 가발을 쓰고 있었다.
*wig 가발
He parts his hair at the center. 그는 중간 가르마를 탄다.

A wardrobe malfunction is a clothing failure that accidentally exposes a person′s intimate parts. It is different from deliberate incidents of indecent exposure or public flashing.
<출처: WIKIPEDIA>

의상불량은 실수로 사람의 은밀한 부분이 노출되는 것이다. 고의적인 음란노출이나 공개적인 플래쉬와는 다르다.
*wardrobe malfunction 의상불량(주로 연예인들)
*wardrobe 옷, 의상, 의상팀, 옷장

Her dress is made with lint-free texture. 그녀의 드레스는 보푸라기가 일어나지 않는 천으로 만들어졌다.
*lint 보풀(=pilling)
*lint roller/remover (보풀제거용) 돌돌이/끈끈이, 보풀제거기

I will dress up and have my pictures taken. 저는 옷을 차려 입고 사진을 찍을 거예요.
*dress up 갖춰 입다(변장을 하다, 꾸며 입다) <-> dress down 편하게 입다
I feel ill at ease in such formal clothes. 나는 그런 정장은 불편하다.
*ill at ease 불편해 하는

I think you've got the sweater on back to front. 넌 그 스웨터를 거꾸로 입은 거 같아.
*back to front 앞뒤가 거꾸로
*inside out 안팎이 뒤집어서

It looks a little dated. 촌스러워 보인다.(=It looks tacky.)
It's swanky! 부티나네~!
*swanky 호화로운
They clothe their children in the latest fashions.
그들은 자기 아이들에게 최신 유행하는 옷을 입힌다.
*clothe[kloʊð] 옷을 입히다, 마련해주다.
*cloth[klɔːθ] 천, 옷감
*clothes[kloʊðz; kloʊz] 옷(=clothing)

I am looking for a corduroy jacket. 골덴 자켓을 찾는데요.
*corduroy(=cords) 코르덴/골덴

He is a wealthy man who can easily afford bespoke suits.

그는 맞춤 양복을 쉽게 살 수 있는 부자이다.
*bespoke(= tailor-made/custom made) 맞춤제작한
맞춤생산을 하는 <-> ready-made 기성의, 이미 만들어진

My shirt stretched out too much. 내 셔츠는 너무 늘어났어요.
The button on my suit has become loose. 정장 단추가 헐렁해 졌어요.
*loose/stretched out 옷이 늘어난, 헐거워진
Your new shows are drippy. 새 신발 멋이 뚝뚝 떨어진다.
*drippy 얼간이 같은, 액체 상태의, 방울이 뚝뚝 떨어질 것 같은

This coat fits you well. 이 코트는 당신하고 잘 어울리네요.

I just threw this suit on in my car. 차에서 대충 걸쳐 입었다.
*throw something on (대충)걸쳐 입다

Be sure to bundle up!! 따뜻하게 껴입어.
*bundle up 옷을 껴입다.

Why don't you break out your snow boots? 겨울장화를 꺼내 신지 그래?
*break out ~를 꺼내 입다/신다, 발발/발생하다

일상생활에서 많이 사용하는 의상과 장신구 등 우리 몸에 착용하는 물건에 대한 표현들을 알아보겠습니다.

padded/puffer jacket 패딩
crop top 배꼽티
tank top 민소매, (속)런닝
ear muffs 귀마개
mittens 손모아장갑
fleece jacket 플리스 재킷
bubble beanie 방울비니 모자

옷무늬와 관련된 여러가지 표현들이 있는데요,

plaid 격자무늬 tie dye 홀치기 염색 pinstripes 세로줄무늬 stripes/striped 가로줄무늬 animal/floral print 꽃무늬/동물무늬

Why do couples wear matching outfits?? 왜 커플들은 커플룩을 입는 거야?
*matching outfits 커플룩
Your fly is down.(=Your zipper is down.) 지퍼 내려갔다. 자크 열렸다
My sock is ripped. 양말 구멍 났다.
Your buttons are mismatched. 단추가 잘 못 끼워졌어요.
Your jacket is dragging on the floor. 자켓이 바닥에 끌려요.
Your shoelace is untied. 신발끈이 풀렸어요
(양쪽 다 풀렸을 때) Your shoelaces are untied.

Chapter 8. 만남, 미팅/파티, 전화통화

만남과 관련된 표현들

I go by Brandon. 나는 Brandon이라고 해.

She goes by many names. 그녀는 많은 이름으로 불려요.

How's life treating you? 어떻게 지내나요?

What's new with you? 별 일 없어?

I am getting on well. 난 잘 지내.

Can't complain. 그럭저럭 잘 지내(불평할 수 없는 상황이다)

I've been better. 그럭저럭. 그저 그래. (예전엔 더 좋았던 적이 있었지)

Right as rain. 팔팔해, (건강에)아무 문제없어.

*Right as rain은 '상태 좋은', '정확한'이라는 의미도 있습니다.

Oh! right as rain. 오! 정확하네요.

Fit as a fiddle. 매우 건강해요.(기분이 좋아요)

Even at my 80, I am fit as a fiddle. 80세인 지금도 나는 아주 건강해요.

*fiddle 만지작거리다, 조작하다

We must have missed each other. 우리 길이 서로 엇갈렸네요

Sorry I am late. 늦어서 미안해.(=Sorry for being late.)

Why did you flake(out) on me? 너 왜 나와의 약속을 어겼어?

*flake(out) on 약속을 어기다, 바람맞히다

Don't flake out on this. 이건 약속 어기지 마.

He's already flaked out on the bed. 그는 이미 침대에서 곯아 떨어졌다.

*flake out '곯아 떨어지다'의 의미도 있습니다.

I got stood up by Jun. 나 준한테 바람 맞았어.
*got stood up(by~) 바람 맞았다
How could you stand me up? 어떻게 나를 바람 맞힐 수 가 있어?

I am really sorry. I forget your name. 정말 미안한데 당신 이름을 잊어버렸어요.
과거형 forgot으로 사용하기 쉬운데요, 지금 이순간 이름이 생각 안나는 상황이라 현재형 forget으로 표현 하는 것이 자연스러운 표현 입니다.
(It's) funny running into you here(like this). 너를 여기서 이렇게 만날 줄은 몰랐다.
=I was surprised to see you here.
I barely recognized you (at first). 처음에 못 알아 볼 뻔 했다.

만나서 헤어질 때 하는 인사들을 알아보겠습니다.
Don't be a stranger. 연락하고 지내.
Off you go! 잘 가! 먼저가!
Off I go! 나간다. 먼저 간다.
I'd better be off. 가 봐야해.
May I be excused? 먼저 일어나도(가 봐도) 될까요?
Peace out(=good bye) 나 갈게, 안녕
I have somewhere to be. 가 볼 데가 있어.
Toodeloo/Toodles 잘 가(=bye)
So long (어디론 가 멀리 떠날 때 하는 인사)
Hit me up. 전화해
Touch base. 연락해
Ping me when you get back to your office. 사무실에 돌아가면 연락해(문자, 전화, 메신저 등)
*ping 탱, 땡, 짽(소리/소리가 나다)
I enjoyed your company. 함께 있어서 즐거웠어.

미팅/파티와 관련된 표현들
Managers can teach how to conduct 1 on 1 meetings that are effective and productive.
관리자는 효과적이고 생산적인 1:1 면담을 진행할 수 있는 방법을 가르칠 수 있다.
*1 on 1 meeting 1대1면담(주로 직원과 관리자 간의 면담)

I will work around your time/schedule. 당신 시간(스케줄)에 맞출 게요.
I can work my schedule around you guys. 내가 너희 스케줄에 맞출 수 있어.

I cleared my schedule this morning. 오늘 아침 스케줄을 비웠다.
I have a scheduling conflict. 일정이 겹쳐요.
I will pencil you in tomorrow. 일단 내일 만나는 걸로 하자.
Shall I pencil you in for Friday? 일단 금요일에 보는 걸로 예정을 잡아야 할까요?
I will pencil that in. 일단 그렇게 예정해 놓자.
Could I have/take a rain check? 다음에 할 수 있을까? 다음으로 미룰 수 있을까?

Now is this everybody? 다 모이신 건가요?
Are we expecting more to join us? 누구 더 오실 분이 계신 가요?

Is someone meeting us there? 거기로 누군가 마중 나오나요?
I will go out to meet you. 내가 마중 갈게요.
I will walk you to the door. 내가 문까지 마중 해 줄게.
My secretary will see you out/off. 제 비서가 배웅 해 드릴 겁니다.
I will see myself out. 알아서 갈게요(나오지 마라)

People will have time to schmooze during the cocktail hour.
사람들은 칵테일타임 동안 수다를 떨 수 있는 시간을 가지게 될 것이다.
*cocktail time 모임에서 사람들이(주로 저녁식사 전에) 칵테일을 마시며 대화를 나누는 시간
*schmooze[ʃmuːz] 수다를 떨다(=chat)
*schmoozing 수다 떨기
'수다를 떨다' 다른 표현들도 알아보겠습니다.
I never chew the fat/rag. 난 수다를 안 떨어요.
*chew the rag 불평을 늘어놓다, 수다를 떨다
Nice chewing the fat with you. 오래 수다 잘 떨었어.

They have spent the whole day shooting the breeze.
그들은 하루 종일 잡담을 하면서 시간을 보냈습니다.
*shoot the breeze 잡담 하다(=chat)

*breeze 산들바람, 식은 죽 먹기, 경쾌하게 움직이다
This will be a breeze. 이건 식은 죽 먹기 일거야(쉬울 거야)
It is very easy breezy. 그건 식은 죽 먹기야(쉬워)
*breezy 산들바람이 부는, 경쾌한

We are having a housewarming party this weekend.
우리는 이번 주말에 집들이를 하려고 합니다.
*house-warming party 집들이
Sorry I am unannounced. 미안해 내가 연락도 없이 와서.
Mind if I tag along? 내가 따라가도 괜찮아?
You sure you don't mind him tagging along? 그 사람이 따라 가는 거 진짜 괜찮아?
Is it ok if I have my friends over? 친구 데려가도 돼?

전화통화와 관련된 표현들

I've been meaning to contact you. 안 그래도 연락 드리려고 했어요.

I was just trying to make a prank call. 나는 그저 장난 전화를 걸려고 했을 뿐이에요.
*prank call 장난전화
*prank 장난/play prank(on) 장난치다
An inbound call center is a business function for handling incoming calls.
'인 바운드 콜센터'는 수신전화 업무를 처리하기 위한 업무기능이다.
*inbound call 착신(수신) 통화 <-> outbound call 발신(송신) 통화

I can't hear you well. 전화가 잘 안 들려요
It is breaking up./You are breaking up. 전화가 끊겨요.
I have a bad reception/connection. 전화가 잘 안 잡히네요.
The line has cut off. 전화 끊겼어
You are freezing. (영상통화에서) 너 화면이 끊기고 있어.
You are frozen. 화면이 멈췄어.
Your video is lagging. 너 영상이 끊겨.

We keep playing phone tag. 우리 계속 전화가 엇갈리네

*play phone tag 전화를 걸었는데 안 받고, 다시 했는데 못 받는, 서로 타이밍이 맞지 않아 전화를 받지 못하는 상황을 말합니다.

그럼 전화 잘못 걸었다는 어떻게 할까요?
I butt dialed you. 전화 잘못 걸었네.
That must be a butt dial. 잘못 걸려온 전화 일거야.
*butt (뭉툭한)끝 부분, 담배꽁초(cigarette butt)

Can you speak up? 크게 말해 줄래?
speak louder 보다는 speak up이 좀 더 자연스럽습니다.

She left me on read. 그녀가 내 메시지를 읽고 답을 하지 않았다.
*여기서 read는 과거분사형으로 발음에 주의합니다.
If you have to double text a girl, she's is not interested in you. Don't even send a triple text.
너가 여자에게 문자를 연달아 해야 한다면 그 여자는 너한테 관심이 없는 거야. 세번 보낼 생각은 하지도 마.
*double/triple/quadruple text 문자를 두 번/세 번/네 번 연달아 보내기

Chapter 9. 날씨, 기상

It's bucketing down here. 여기 비가 엄청 내려
=It's pouring outside./It's raining cats and dogs.
It is drizzling. 이슬비가 내려.
It's been raining on and off all day. 하루 종일 비가 내리다 안내리다 한다.
The rain comes and goes. 비가 내리다 말다 하네요.
Has it stopped raining? 비 그쳤어??
It stopped raining./It has stopped raining. 비가 그쳤어요.
The rain began to ease up. 비가 줄기 시작했다
*ease up 줄다.속도. 양 등을 줄이다
ease up! 덜 해. 좀 줄여.
I wish it would stop raining. 비가 그쳤으면 좋겠다
I don't like getting caught in the rain. 난 비 맞는 거 싫어.
You could get rained on. 비를 맞을 수도 있어요.
My trip got rained out. 내 여행계획은 (비가 와서/우천으로) 취소되었어요.

Snow is gonna stick. 눈이 쌓일 거다.
Did snow stick? 눈이 쌓였어?
Snow sticked/piled up. 눈이 쌓였다.

The weather is very fickle. 날씨가 아주 변덕스러워요.
*fickle 변덕스러운
It's overcast/cloudy. 날씨가 흐리다.
It is brick outside(=freezing outside) 밖은 엄청 추워요.
It's muggy. 후텁지근해.

The air is crisp and clean. 공기가 상쾌하고 깨끗해.
The fog came down on the city. 도시에 안개가 끼었다.
*fog comes down/rolls in 안개가 끼다, 가라 앉다.
*fog thickens 안개가 짙어 지다
*fog lifts 안개가 걷히다.

Spring comes but one last cold snap will start. 봄은 오고 있지만 꽃샘추위가 시작될 겁니다.
*one/the last cold spell/snap 꽃샘추위

Current temperature is minus 3 degree, but the wind chill is minus 6 degree.
현재 온도는 -3도인데 체감은 -6도이다.
*wind chill 체감 온도 *windchill(명사) 풍속냉각
체감 온도의 표현은 heat index, sensory temperature 등으로 사용되기도 합니다.

기타 날씨, 자연현상 등과 관련된 어휘들도 함께 알아 두면 유용하겠습니다.
drought 가뭄, snowmelt 녹아 내린 눈, snowfall 강설, 강설량, 내리는 눈(자체)
blizzard 눈보라 폭설, white night 백야, polar night 극야, cold/warm front 한랭/온난 전선
concentration of fine dust particles 미세먼지 농도
headwind 맞바람, 역풍(=upwind)/tailwind 뒷바람, 순풍(=downwind)
*Korea is now facing economic headwinds. 한국은 현재 경제적 역풍(어려움)을 맞고 있다.
meteorologist(=weather expert) 기상학자, eruption 화산폭발, landslide 산사태
weather improves(gets better) 날씨가 좋아지다
weather deteriorates(worsens) 날씨가 나빠지다
discomfort index 불쾌지수

Chapter 10. 쇼핑, 구매

eye shopping?

구매는 안하고 구경만 하는 것은 한국에서는 아이쇼핑(eye shopping)이라고 하는데요 정확한 영어표현은 'window shopping' 입니다.

Might not have them in at the moment 지금은 재고가 없는 거 같네요.
But you normally carry them, right? 그런데 평소에는 파는 거 맞지요?
I think I'm leaving this out. 이건 뺄 까 봐요. (계산대에서 담아 온 물건을 뺄 때)

그냥 둘러보는 중이에요 I am just looking. 또는 I am just browsing.

Is it off the tag price? 이 가격이 할인이 적용된 가격인가요? (간단한 거래에서 캐주얼하게)
We have a flat rate. 고정요금 입니다.
Cash or charge? 현금인가요? 신용카드인가요?(결제방법을 물을 때)
I am short-changed. 잔돈이 모자라요.
Can you break a hundred? 백달러 바꿔 줄 수 있나요?(작은 돈으로)

일시불 pay in full/lumpsum 할부 installment(plan)
He paid in installments. 그는 할부로 지불했다.
Can I pay in installments? 할부로 지불할 수 있을까요?
Monthly, bimonthly whatever you are comfortable with.
매월 또는 격월 당신이 편한대로 가능합니다.
Are you in our point system? 포인트 적립 하시나요?

It was an impulse buy. 충동 구매였다.

*impulse (갑작스러운 충동), 충격, 자극
*spur of the moment 충동적인, 즉석의
You can't buy a car on the spur of the moment. 차를 충동적으로 사서는 안돼.
I think I just bought a pig in a poke. 난 단지 충동구매를 한 것 같아요.
*buy a pig in a poke 자루안에 돼지를 사다는 말은 '제대로 알아보지 않고 충동구매 하다'라는 뜻입니다.

I have buyer's remorse. 괜히 산 거 같네.
*buyer's remorse 구매자의 후회(물건을 사고 난 뒤 잘못 산 거 같아 후회)
seller's remorse 판매자의 후회(판매 후 아깝다고 느끼거나 제 가격을 못 받았다고 생각)

Are you ready for a little retail therapy? 쇼핑을 좀 하면 기분 전환이 될 것 같아요?
*retail therapy 기분 좋기 위해 하는 쇼핑(쇼핑을 통한 기분 전환)
Do you have a wiggle room? 네고(협상)가 될까요?
*wiggle 씰룩씰룩, (꼼지락꼼지락)움직이다.

Can we meet at 50? 50불에 안될까요?
It is pricey/expensive. 비싸네요
*expensive와 비슷한 단어로 extortionate, exorbitant, dear, spenny를 활용할 수 있습니다.
We get paid up front. 우린 선불로 받습니다.
*upfront payment 선불

It was dirt cheap. 헐값에 샀다.
I bought this car for a song. 난 이 차를 헐값에 샀어.
*for a song 헐값에, 염가에
You need to wait more. It will be going for a song. 좀 더 기다려봐. 헐값에 나올 거야.

What's the damage? (금액이)얼마 나왔어?
It's in mint condition. 거의 새 것 같은 상태이다.
thrift store 중고품을 싸게 파는 매장
shopping spree 왕창 쇼핑하기
*spree 흥청망청 하기, (범행을)한바탕 저지르기

Chapter 11. 자동차, 교통, 비행기

Thanks for the ride. 태워줘서 고마워.
*Thanks for riding me. 라고 하지 않습니다.

Can you roll down the window? (차에서)창문 좀 내려줄래?

Could you move your seat up please?
(버스나, 비행기 등에서) 자리 좀 앞으로 세워 주시겠어요?

Back it in 후진해서 주차하세요.

Hit the gas(pedal). 액설레이터를 밟아, 속도를 더 내.
*gas pedal(=accelerator)

bus stop/train station
사람들이 타고 내리는 버스정류장은 bus stop이라고 하고, 기차가 머무는 곳은 역(Station)이라고 일반적으로 표현합니다. 간혹 bus station이라고 표현될 때가 있는데 그때는 bus terminal처럼 티켓을 끊거나 사람들이 잠시 머무를 수 있는 환경이 될 때 사용합니다.

This is our first pit stop. 여기가 우리 첫 정차지 입니다.
Let's make a pit stop over there. 저기서 잠깐 쉬어 갑시다.
*pit stop 주유, 화장실, 식사 등을 위한 정차

Road rage can cause crashes. 보복운전은 사고를 유발할 수 있다.
*rage 분노, 격노 *road rage 보복운전, 운전자폭행

분노, 격노의 의미를 가진 다른 단어들도 살펴 보겠습니다.
exasperation[ɪgˌzæspəˈreɪʃn], outrage, fury, anger, wrath

승차감은 영어로 어떻게 표현할 수 있을까요?
car sentiment/ride comfort/ride quality 등으로 표현할 수 있습니다
Could you validate my parking? 주차권을 좀 발급 해 줄 수 있나요?

Are we almost there? 거의 다 왔나요?

I am a bit turned around. 길을 좀 헤매고 있어요.

Let's hit the road! 자 떠나자(여행길에 오르자)

Turn on the indicator/blinker. 방향지시등을 켜세요.
I indicated. 나 방향지시등 켰는데.
*blinker 방향지시등/말 눈가리개
*indicate 시사하다

Don't get the behind the wheel when you had one too many.
술에 취했을 때는 운전하지 마세요.
*get behind the wheel 핸들 뒤에 있지 말라는 말은 운전석에 앉지 말라는 표현
*had one too many는 술을 과하게 마시다, 취하다 라는 표현입니다.
My car ran over a road sign. 내 차가 도로표지판을 들이 받았어
*run over 넘치다, 들이받다
Please hold onto a strap. (버스, 지하철 등에서)손잡이를 꼭 잡으세요
*hold onto ~에 매달리다, 꼭 잡다.
*strap=handle 손잡이
손잡이는 물건에 따라 표현이 다릅니다.
라켓-grip/문, 서랍-knob/칼-hilt
hold on to something 고수하다, 계속 보유하다의 의미도 있습니다.
Please hold on to my luggage. 내 짐 좀 맡아 주세요.

차에서 타고 내릴 때 어떤 표현을 쓸 수 있을까요? 우선 차에서 사람이 설 수 있느냐에 따라 in/out, on/off를 사용하게 됩니다.
버스나 지하철처럼 사람이 설 수 있으면 get on(타다), get off(내리다)를 사용하고,
승용차는 get in(타다), get out(내리다)를 사용하면 됩니다.
Let's get in the car. (승용차 등에) 타자.
Let me off. (버스 등) 내릴 게.

Eyes forward! Eyes on the road! 앞에 봐!
Look at the front!라고 하지 않습니다.

Pedestrian right of way 보행자 우선
Hey! right of way! 사람이 먼저죠! (길에서 차가 위협하는 상황)
미국 도로표지판 중에 Ped Xing이라는 글자가 보이는데요,
->Pedestrian Crossing '보행자 주의'라는 의미입니다.

기타 자동차 및 교통 관련된 표현들을 보겠습니다.
novice 초보자/novice driver 초보 운전
squeaking noise 자동차의 와이퍼(wiper) 등을 사용할 때 나는 '끽'하는 소리
*squeak 끽하는 소리가 나다, 꽥 하고 소리를 지르다
fender bender 경미한 교통사고
steering wheel 핸들 *steer 조종하다
junction 사거리, crosswalk 횡단보도
(차들이 보는)신호등 traffic lights/traffic signal
(사람들이 보는)신호등 pedestrian signal, crosswalk/crossing signal
Street lights 가로등(lamp post와는 생김새가 다릅니다)
lay on the horn 경적을(길게) 누르다.
slam on the brake (급정거를 위해) 브레이크를 (세게)밟다
put the air on full blast (에어컨 등을) 최대치로 놓다.
wheelbarrow 외바퀴 손수레 forklift 지게차
grease monkey 기계공 수리공(우스개표현이나 모욕적으로 들릴 수 있음)
flooded(waterlogged) car 침수 차
breathalyze 음주 측정을 하다 breathalyzer 음주측정기

고속도로 highway? freeway?
먼저 우리나라의 경부고속도로 등과 같은 도로는 freeway가 맞는 표현입니다. Highway는 서울의 올림픽대로 같은 도로를 말합니다.

일반 도로에도 street과 road가 있는데요, 엄밀히 구분하자면,
street는 건물과 인도가 있는 도로, road는 건물이나 인도 없이 차만 다니는 도로를 말합니다.

비행, 비행기와 관련된 다양한 표현들을 살펴보겠습니다.
I jetted off to Rome for a much-needed vacation.
꼭 필요한 휴가를 위해 로마에 비행기를 타고 갔어.
I am jetting off an international business trip. 난 비행기를 타고 해외 출장을 갈 예정이에요.
*jet off 비행기를 타고 떠나다

I am still getting over jet lag. 아직 시차적응 중이야.
I am still jet lagged. 아직 시차적응 중이다.
Don't lag behind. 뒤쳐지지 마.

You know these long flights. You can get a little tedious.
이런 긴 비행들은 좀 지루할 수 있어요.
*tedious 지루한(=boring), 싫증 나는

요즘은 저가 항공사를 이용한 여행이 많은데요, 저가 항공사는 어떻게 표현 할까요?
LCC: Low Cost Carrier
*carrier 항공사, 수송(운송) 회사, 수송 차량, 수송선, 보균자, 매개체
기본적인 비행 외에 음료, 식사 등을 별도로 구매하는 LCC와 반대되는 개념의 항공사/항공편은 FSC(Full Service Carrier)라고 합니다.
Flag carrier 국책항공사(한 나라를 대표하는 항공사)

He was paged at the airport and told to come to the gate immediately.
그는 공항에서 호출을 받았고 즉시 게이트로 오라는 안내를 받았다.

I took the red eye. 야간 비행을 했어.

The pilot reported hearing the sonic boom as it passed.

조종사는 지나 갈 때 음속 폭음이 들렸다고 보고 했습니다.

*sonic 소리의, 음속의 *sonic boom 음속 폭음

Please wear a sleep mask while sleeping and lower the window shade.

수면 중에는 수면 안대를 착용 해 주시고 창문 덮개는 내려 주세요.

*window shade 비행기 창문덮개 *sleep mask 안대

네비게이션 안내에 나오는 표현들

veer(off) 방향을 홱 틀다. 이탈하다

=stray 벗어나다. 빗나간/길 잃은

You have veered off course. 경로를 이탈 하였습니다.

side track 곁길, 측선 sidetrack 곁길로 새게 하다

overpass 고가 도로 <-> underpass 지하 도로

accident prone area 사고 다발 구역

*prone 하기(당하기) 쉬운/prone to injury 부상 당하기 쉬운

narrow alley 좁은 골목

on ramp(entrance ramp) 진입로 <-> off ramp(exit ramp) 진출로

the inside lane 1차로, the middle lane 중간차로, the outside lane 바깥차로

Chapter 12. 건강, 병원, 약국

아픈 증상과 병원에서의 치료와 관련된 여러가지 표현들을 살펴보겠습니다.
I was hospitalized yesterday. 나는 어제 입원 했어요.
*hospitalize 입원 시키다
I am in the hospital. 병원에 있어요(치료/입원 중이다의 의미)
I am at the hospital. 병원에 있어요(병원을 방문 했다는 visiting의 의미)
I was confined in the hospital for two weeks. 나는 병원에 2주간 입원 해 있었습니다.
*confine 가두다, 국한시키다

Have you seen a doctor? 병원 가봤어? 진료 받았어?
I want to seek a second opinion. 2차 소견(검진)을 받고 싶은데요.

He is on the mend. 회복 중이야.
*on the mend 회복중인 *mend 수리하다, 고치다, 해결하다, 수선하다
I wish a speedy recovery. 쾌유를 빕니다.
I wish he gets well soon. 그가 쾌차 하기를 바랍니다.
I think I am coming down with a cold. 감기 기운이 도는 거 같다.
*come down with 걸리다, 들다, ~기운이 있다.
I feel a cold coming on. 감기 기운이 도는 거 같아.
*come on 시작 되다.
He was coming on to you. 그 남자가 너를 꼬시려고 한 거야.

진료과목과 과목별 의사에 대한 영어 표현을 알아 두면 유용합니다. 대표적인 과목을 영어로 어떻게 표현하는지 살펴보겠습니다.

진료과	의사
Internal Medicine 내과	Internist/Physician
Surgery 외과	Surgeon
Gynecology 산과 Obstetrics 부인과	Gynecologist Obstetrician
Ophthalmology 안과	Ophthalmologist/Eye Doctor *Optometrist 검안사(=Optician)
Neurology 신경과	Neurologist
Dermatology 피부과	Dermatologist
Cardiology 심장과	Cardiologist
Otolaryngology [ˌoʊtoʊlærɪŋˈgɑːlədʒi] 이비인후과 (Ear-Nose-and-Throat)	Otolaryngologist (ENT Doctor)
Hematology 혈액과	Hematologist
Pediatrics 소아과	Pediatrician
Oriental Medicine 한의과	Oriental Doctor

'hurt'는 일상 생활에서 상당히 자주 사용하는 단어인데요, 다소 문법적인 이해가 바탕이 되어야 활용하는 데 문제가 없을 것입니다.

hurt 아프다(자동사), 다치게 하다(타동사), 다친(형용사)

*동사, 형용사 모두 사용되므로 혼동이 될 수 있습니다.

자동사 My finger still hurts. 손가락이 아직 아프다.
My tummy hurts. 배가 아파요.
*tummy[ˈtʌmi] 배(비격식, 특히 아동어)

타동사 That wound still hurts him. 그 상처가 아직 그를 아프게 한다.
I was seriously hurt by the accident. 그 사고로 중상을 입었다.

형용사 Are you hurt? (=Are you wounded?) 다쳤어?
Did you get hurt?라고도 표현 할 수 있습니다.

Do you hurt?는 Are you hurt?와 의미가 좀 다른데요,
Are you hurt?가 다쳤니? 라는 의미라면,

Do you hurt?는 Are you in pain?의 의미입니다. (아프니?)
Where does it hurt? 어디가 아파요?
->Where are you sick?이라고 하지 않습니다.
'무릎이 아파요'도 my knee is sick.이라고 하지 않고 my knee hurts. 라고 해야 맞습니다.
My shoulder is aching. 어깨가 아픕니다.

He was using an oxygen mask and intravenous drip.
그는 산소마스크와 정맥주사를 사용하고 있었습니다.
*intravenous(I.V.) 정맥으로 들어가는, 정맥 주사의

It will be just a slight pinch. 좀 따끔 할 거예요.
I will do as painless as possible. 최대한 안 아프게 해 드릴 게요.

Why does my phalange hurt? 왜 손가락 끝이 아프지요?
*phalange 지골(손가락, 발가락 끝부분 뼈)

He had to have both legs amputated. 그는 두 다리를 절단해야 했다.
*amputate (수술로)절단하다
I think I got a dislocated shoulder. 어깨가 탈구 된 것 같습니다.
I broke out in a cold sweat. 진땀을 잔뜩 흘렸어요.
*break out in a cold sweat 식은 땀을 흘리다.

I am constipated. 변비에 걸렸어요(=I have/get constipation.)
*constipate 움직임을 방해하다 *constipated 변비에 걸린 *constipation 변비

I suffer from allergy. 난 알레르기가 있어요(알레르기로 고통받다).
I keep getting canker sore on my tongue. 자꾸 혓바늘이 돋는다.
He always has bags under his eyes. 그는 항상 다크써클(=panda eyes)이 있다.
She is bipolar. 그녀는 조울증이야/변덕이 심해.
I was 5 days late. (여성의 경우) 생리가 5일 늦어졌다.라는 표현이 됨.
I have an upset stomach. 나 체했어.
You appear to have a mild concussion. 당신은 뇌진탕인 듯 합니다.

A scab will form. 딱지가 생길거에요.

Don't touch it not until the scab falls off. 딱지 떨어질 때까지 만지지마.

I might need a skin graft. 피부이식이 필요할 수도 있어요.

*graft 이식. 이식한피부. 접목. 접붙이기, 이식하다

It will begin to ache. 아파올 겁니다.

I am allergic to it. 앨러지가 있습니다.

I am allergic to pollen. 꽃가루 앨러지가 있어요.

My symptoms are chronic. 내 증상은 만성적이에요.

Insulin is secreted by the pancreas. 인슐린은 췌장에서 분비된다.

*secrete 숨기다, 분비하다 *secretion 분비, 분비물

Beer makes me gassy. 저는 맥주 먹으면 가스가 차요.

*gastric 위의 *gastric juices위액 *gassy 가스가 많이 든, 가스가 찬

Pizza makes me break out. 피자 먹으면 뾰루지가 나.

*breakouts 뾰루지 *rash 발진. 뾰루지, 경솔한, 성급한

I got a cramp in my leg. 다리에 쥐났어!

*cramp 경련, 쥐

*stomach cramps 위경련

I feel stiff 근육이 뻣뻣해, 경련이 났어.

눈과 관련된 표현

I am color blind. 나 색맹이야.

He is cross eyed. 그는 사시이다.

I have a sty(e) in my eye. 다래끼가 생겼어요.

My eyes are failing. 시력이 안 좋습니다. 나빠지고 있어요.

다른 표현으로는 My eyesight is -> going bad/getting worse/getting weak

My eyes haven't started aging yet. 난 아직 노안이 안 왔어.

Are you wearing contacts? 당신은 콘택트렌즈를 사용합니까?

보통 lens를 뒤에 안 붙이고, 양쪽 눈에 사용하므로 복수형s를 붙여 contacts라고 함.

farsightedness[=hyper(metr)opia) 원시

nearsightedness(=myopia) 근시

eye(lid) twitch 눈 밑 떨림

치아와 관련된 표현

chip (그릇이나 연장의)이가 빠진 흔적, 이가 빠지다/빠지게 하다, 깨진 치아

tooth decay/dental caries 충치

decay 부패, 부식

caries[keriːz] 치아나 뼈의 부식

filling (치아에 생긴 구멍에 박는)봉, (파이 등 음식의) 소/속, 포만감을 주는

a denture(=artificial tooth) 의치, 틀니

snaggle-tooth 덧니, 뻐드렁니(=projecting tooth/misaligned tooth)

*snaggle 뒤엉키다. 뒤엉킨 것

기타 병원, 질병과 관련된 어휘

paralyze 마비시키다 (become paralyzed 마비되다)

diabetes 당뇨

rhinitis(=nasal inflammation) 비염

allergic rhinitis 알레르기성 비염(예: hay fever 꽃가루 알레르기)

mucous 점액질의

membrane 막, 세포막

mucous membrane 점막

prostate 전립선

skin tags 쥐젖

gum 잇몸, 고무진.수지

graze 쓸린 상처 bruise 멍 hematoma혹

respiratory [ˈrespərətɔːri] 호흡의, 호흡기관의

*respiration 호흡

blood donation 헌혈

blood transfusion 수혈

endoscopy 내시경검사
gastroscopy 위내시경
colonoscopy 대장내시경
kidney stone 신장(요로)결석
numbing cream 마취크림
tic disorders 틱장애
canker sore 구내염
prosthetic arm 의수
claustrophobia 폐쇄공포증
acrophobia 고소공포증(=fear of heights)
measles 홍역
obese 비만인
obesity 비만
hunger pangs / pangs of hunger 공복통
foreskin 포피
pimple 여드름(=acne [ˈækni], spot, zit)
text neck / tech neck 거북목
chemotherapy 화학요법(암에 대한)
carcinogenesis 발암
monkey pox 원숭이두창
migraine 편두통
bowel movement 배변활동
*bowel 창자, 장
hairfall / hair loss 탈모
cerebral stroke 뇌졸중
cardio 심장강화운동, 유산소운동
cardiac arrest 심장마비
asthma 천식
cut wound (베인)상처
*apply ointment to a wound 상처에 연고를 바르다.
therapeutic 긴장을 푸는데 도움이 되는, 치료상의
bloody(black) stool 혈변

indigestion 소화불량

heartburn 속 쓰림

pore(s) 땀구멍, 모공

draw/collect blood 채혈하다

a blockage in an artery 동맥 장애 *artery 동맥

autism 자폐

hepatitis 간염

약국, 약품과 관련된 표현

약 복용에 있어 식전/식간/식후는 어떻게 표현할까요?

Take the medicine before/between/after meals.

식전/식간/식후에 약을 복용하세요.

take medicine 약을 복용하다

약물을 복용할 때는 eat/drink가 아닌 take/dose의 표현을 쓰는데요,

I can't drink tonight because I am taking antibiotics.

항생제를 먹고 있어서 오늘 밤엔 술을 못 마셔.

She took an overdose of sleeping pills. 그녀는 수면제를 과량 복용했다.

dose는 복용하다/시키다의 의미도 있지만 복용량의 의미로 더 많이 사용합니다.

anti-inflammation 소염제

digestive medicine 소화제

anti-biotic 항생제(항생제를 복용하다 take an anti-biotic)

antibiotic resistance 항생물질 내성

resist 저항하다

resistance 저항, 저항력

antacid 제산제

antidepressants 항우울제

antihistamine 항히스타민제

cold medicine 감기약

fever reducer 해열제

pain medicine(=painkiller) 진통제

Chapter 13. 교육, 운동

I got admitted. 나 합격했어.
*I got accepted into도 ~에 합격하다의 표현으로 자주 사용합니다.

School is not in on Saturday. 토요일에는 학교가 하지 않는다.

How are you settling in your new class? 새로운 수업에 잘 적응하고 있어?
You all settled in? 다 적응 했어?
*settle in 적응하다 *settlement 합의, 해결, 정착

You typically wear your graduation cap for the entire ceremony as a symbol of your academic achievement and participation in the event.
일반적으로 학업성취와 행사참여의 상징으로 졸업식 내내 사각모를 착용 합니다.
*graduation cap 사각모(졸업식에 쓰는 모자)

I received private tuition in Japanese. 나는 일본어 개인 교습을 받았다.
*tuition[tuˈɪʃn] 수업, 수업료

He had boned up on the county's history before the visit.
그는 그 나라를 방문하기 전에 그 나라 역사를 열심히 공부했었다.
*bone up on 열심히/벼락치기 공부를 하다

She flunked math in first grade. 그녀는 1학년 때 수학에 낙제했다.
*flunk-flunked-flunked 낙제하다, 낙제시키다
*flunk a test 시험에 떨어지다

*flunk out of college 대학에서 퇴학당하다
He was expelled from school at 18. 그는 18세때 학교에서 퇴학당했다.
*expel 퇴학 시키다(exclude를 사용해도 됩니다)

I was the second to last in the test. 내가 그 시험에서 꼴지에서 두번째 였다.
*the second to last 끝에서 두번째

My brother is planning to have a gap year and go to America.
내 형은 1년간의 갭이어를 갖고 미국으로 가려고 계획중이다.
*gap year (흔히 고교 졸업 후 대학 생활 시작 전 일이나 여행을 하며 보내는 1년)

I think she wanted to join the sorority at the time.
내 생각에 그녀는 그 당시 사교클럽의 일원이 되기를 원했던 것 같다.
*sorority 여학생(사교)클럽 *sorority sisters 여학생 클럽 동기
We have a heritage of fraternity. 우리는 박애정신의 유산을 가지고 있다.
*fraternity 형제애, 박애. 미국대학생(남)/사교계 클럽(멤버). 협회

Who was the valedictorian at your high school? 누가 너의 고등학교 졸업생 대표였었지?
*valedictorian 졸업생대표

Why we have to eat this under the bleachers?
우린 이걸 왜 관람석 밑에서 먹어야 하는 거야?
*bleacher 지붕 없는 관람석, 외야석, 표백제
I really want to get in shape. 나는 몸매를 가꾸고 싶어요.
I want to get toned. 나는 잔근육질 몸매를 원해요.

I am wading in the shallow end. 난 낮은 물에서 놀고있어.
*wade 헤치고 걷다.

I am swimming in the deep end. 난 깊은 물에서 수영하고 있어.

수영의 4가지 영법에 대한 단어는 다음과 같습니다.

freestyle	자유형
backstroke	배영
breaststroke	평영
butterfly	접영

The little boys were skipping rope in the playground.
어린 소년들이 운동장에서 줄넘기를 하고 있었다.
*skip/jump rope 줄넘기 하다

I work out at home. 난 집에서 운동 해.
*at home training 홈 트레이닝

I hit a duff shot. 뒷땅을 쳤네요.
duff/chunk/fat shot 제대로 작동이 안된 샷, 두꺼운 샷, 미스 샷
*chunk 덩어리(특히 그린주변에서 뒷땅)
골프에서 뒷땅을 쳤을 때 사용할 수 있는 표현을 더 알아보겠습니다
I chunked it./I hit the ground before striking the ball.
*divot(hole) 골프채에 뜯겨 나간 잔디(자국)
I am hoping to birdie next hole. 다음 홀은 버디를 하면 좋겠네요.
I topped the ball. 탑볼을 쳤어요.

Which one is more popular, pocket billiards or carom billiards?
포켓 당구와 캐롬 당구 중 어느 것이 인기가 더 많습니까?
*pool 포켓볼(=pocket billiards)
I will do my workout which will include calisthenics.
나는 미용(맨손)체조가 포함된 나의 운동을 할 것이다.
*calisthenics 미용체조

The two boys ran toward the finish line neck and neck.
두 소년이 막상막하로 결승선을 향해 달렸다.
*neck and neck(with) 막상막하

Chapter 14. 연애, 결혼

'hopeless romantic'
연애 낭만주의자(연애를 원하지만 실제로는 못하거나 지나치게 이상주의적인 사람)
I believe she is a hopeless romantic. 그녀는 분명 구제불능의 연애 낭만주의자 일거야.

She was completely infatuated with him.
그녀는 그에게 완전히 미쳐 있었다.(얼이 빠져 있었다)
*infatuate 얼 빠지게 만들다, 호리다
*infatuated (사랑하는 이에게) 푹 빠진, 열중해 있는
*infatuation (사랑의)열병

I have feelings for you. 너한테 관심있어. 좋아해.
I fell in love with Kayko. 난 케이코와 사랑에 빠졌어.
*fall in love with ~와 사랑에 빠지다

He is all about me. 그는 나한테 완전 빠졌어
I am all about pizza. 난 피자가 최고야.
That′s what this is all about. 그게 이거의 전부야. 그게 여기서 제일 중요한거야

I have spent years throwing myself at you. 난 너에게 수년간 들이댔다고!
*throw oneself at ~에게 (성적으로)들이대다, 마음이 있는 내색을 하다.

You had me at hello. 만나는 순간 당신이 좋아졌어요.
You swept me off my feet. 넌 갑자기 너를 사랑하게 만들었다

Man, you sound head over heels. 너 사랑에 빠져 있는 거 같은데
I am head of heels. 난 사랑에 푹 빠져 있다.

Take on me. 날 받아주세요(사랑해 주세요)
I have a crush on her. 난 그녀를 짝사랑해.
Dry dating is going out and meeting somebody without any alcohol.
드라이 데이팅은 누군가와 술 없이 어울리거나 사귀는 것을 뜻한다.
*dry dating 술을 마시지 않고 누군가와 만나거나 사귀는 것

Don't dip your pen in company ink.(=Never dip your nib in the office ink.)
당신의 펜을 회사 잉크에 담그지/적시지 말라는 말은,
사내연애를 하지 말라는 표현입니다. (회사 동료와 로맨틱한 관계를 갖지 말라)
*dip 담그다, 적시다, 잠깐 하는 수영, 일시적인 감소
*nib 펜촉

We are vibing. 우린 잘 맞네요.
Are we vibing? 우린 통하나요?

What are we? 우리는 무슨 사이야?
Are we an item? 우리 사귀는 사이인 거야?

Are you flirting with me? 나한테 꼬리치는 거야?
She made a move on me. 그녀가 나에게 추근댔다.
Now more than ever she gives me butterflies. 그 어느때보다 그녀는 날 떨리게 해.
She friend-zoned me. 그녀는 나와 친구사이로 선을 그었다.
I was just in the friend zone. 나는 단지 친구 사이였다.

We were made for each other. 우리는 천생연분이야.
I hit it off with her. 나는 그녀와 찰떡궁합입니다. (죽이 맞다/사이 좋게 지낸다)
You two hit it off? 너네 죽이 잘 맞아??
We are on the same wavelength. 우리는 서로 잘 맞는다.(생각, 의견, 호흡 등)
*wavelength 주파수. 파장

We just clicked. 우린 죽이 잘 맞아요, 잘 통해요.
We have chemistry. 우린 잘 맞아요.
*chemistry 화학, 화학적 성질, 사람간 화학반응

We don't see eye to eye sometimes. 가끔 우리는 의견이 안 맞아.
I am afraid we don't see eye to eye. 우리는 생각이 좀 다른 것 같네요.
*눈을 맞추다'가 아닌 의견이 일치 한다의 뜻입니다.

I am straight. 나는 이성애자입니다.
*heterosexual 동성애자 <-> homosexual 이성애자

After an awkward stumbling make-out on the way to his room, they both fell onto his bed.
그의 방으로 가는 길에 어색한 키스를 하고 그들은 침대에 누웠습니다.
*make-out(=kiss) 키스, 애무

Let me set you up with someone. 내가 너 소개팅 시켜 줄게.
Oh, but she is taken. 저런, 그런데 그녀는 이미 애인이 있어요.

I don't get along with her. 나는 그녀와 잘 지내지 못한다
You are dead to me. 넌 나랑 끝이야.
We just drifted apart. 우린 그냥 사이가 멀어졌어요.
We just fizzled out. 우리 사인 그냥 흐지부지 된 거죠. *fizzle out 흐지부지 되다
It will fizzle out. 그것도 용두사미처럼 될 거야.
If she's always down to have a conversation, she's wifey material.
그녀가 항상 대화를 나누려고 한다면, 그녀는 좋은 신부감일 거예요.
wifey material 신부감 <-> hubby material 신랑감

I don't think I have high standards for girls.
난 내가 여자 보는 눈이 높다고 생각 하지 않아.
*high standard 높은 기준(보는 눈이 높다)으로 표현 할 수 있습니다.
Trust me. I am a good judge of character. 날 믿어. 내가 사람 보는 눈이 있거든.

I have found myself in a situationship. 나는 애매한 관계에 있는 내 자신을 발견했다.
*situationship 애매한 관계(사랑과 우정사이)
I don′t want things to be awkward between us. 우리 사이 어색해지지 않았으면 좋겠다.
*awkward 어색한. 불편한
We married after a long courtship. 우리는 오랜 교제 끝에 결혼했어요.
*courtship 교제, 연애

May December relationship is a relationship between two people where one partner is in the "winter" of their life.
May December 관계라는 것은 두 사람의 관계 중 한 파트너가 인생의 겨울에(늙은 나이) 있는 관계를 의미한다.
*May-December relationship/romance 나이차가 많이 나는 사이의 관계

I am just trying to get(back) on her good side. 그녀에게 잘 보이려고 노력중이야.(다시)
He just popped the question. 그가 갑자기 청혼했다.(청혼에만 해당되는 표현입니다.)
She was betrothed to me. 그녀는 나랑 약혼을 했었지.
*betroth[bitróuð,-trɔ́:θ] 약혼 시키다

Would you be in our meeting?
결혼식에서 역할을 해 줄래? best man(들러리)과 같은 역할을 요청할 때

He is propositioning me again! 그가 나에게 또 성적으로 들이댔어요!
*propositioning (명사)제안, 제의(동사) sex하자고 단도직입적으로 제안하다.
*propose 제안하다, 청혼하다
We tied the knot last week. 우리 지난주에 결혼했어.
I married up. 나는 결혼을 잘했다.(잘한 결혼이다)
You are dating up. 여자(남자)친구 잘 만났네.

Many people in public life have committed adultery. 사회에서 많은 사람들이 불륜을 저지른다.
*commit adultery 불륜을 저지르다, 간통하다

I am not having an affair. 나 바람 피우고 있지 않아.

*have an affair 정부를 두다, 바람을 피우다

He must be a henpecked husband. 그는 공처가임이 분명하다.
*henpecked husband 공처가

결혼, 결혼생활과 관련된 다른 표현들을 살펴보겠습니다.
bridal shower 결혼을 앞둔 신부를 위한 파티
bachelor party(=stag night) 결혼을 앞둔 신랑을 위한 파티
groom/bridegroom 신랑, bride 신부
wedding jitters 결혼식전 초조함 *jitter 초조, 불안
wedlock 결혼한상태 <-> out of wedlock 혼외의
double paycheck(=double income) couple 맞벌이부부
*DINK족 (Double Income No Kids) 아이를 갖지 않는 맞벌이 부부

Chapter 15. 임신, 육아

She is up the duff. 그녀는 임신했다.(=She is pregnant.)
*up the duff 임신하여
She is pregnant with his baby. 그녀는 그 남자의 아이를 임신했다.
*자동사이므로 with 꼭 써줍니다.

A baby's development in the womb is very important. 자궁 내 태아의 성장은 매우 중요하다.
*womb(=uterus)자궁

She started crying while giving birth to the baby. 그녀는 아기를 낳으면서 울기 시작했다.
*give birth to/be delivered of 출산하다
Suji started a family. 수지는 첫 아이를 보았다.
*start a family 첫 아이를 갖다
She gave birth to a child out of wedlock. 그녀는 혼외자를 출산했다.
*a child out of wedlock 사생아, 혼외자(=catch colt)
I am infertile. 나는 불임이에요.
*infertile[nˈfɜːrtl] 불임의, 생식력이 없는
fertility 생식력, 배란, 출산, 비옥함
fertility rate 출산율(=birth rate)
fertility clinic 인공수정병원 *fertilize 수정시키다, 비료를 주다

Actually, I am not a pro-lifer. 사실 나는 낙태를 반대하는 사람이 아닙니다.
*pro-life(r) 낙태 반대하는(사람) <-> pro-choice(r) 낙태 찬성하는(사람)

Don't forget to burp him after breast feeding. 모유수유 후에 트림 시키는 거 잊지 마세요.

*breast feeding 모유 수유
breast feed 모유 수유 하다, breast fed 모유수유한, breast milk 모유
cow's milk 우유

아기(아이)와 관련된 표현들은 국내.외 사전에서도 정의하는 나이와 범위가 다릅니다.
일반적으로 통용되는 개념을 알아보겠습니다.
baby (보통 출생부터 약4세까지의 어린아이)
newborn 신생아
infant (특히 걷기 전의)유아, 젖먹이
toddler 걸음마를 배우는 아기
*toddle 아장아장 걷다
유치원생 나이가 되면 preschooler라 부르고, 이후 7세이상(초등학생)이 되면 보통 child라고 표현하게 됩니다.

My mom doesn't believe in indulging the children with presents.
우리 엄마는 아이들에게 선물을 갖고 싶은 대로 갖게 하는게 좋지 않다고 생각한다.
*indulge 마음껏 하다, (욕구, 관심 등을) 채우다, ~가 제멋대로 하게 하다
indulgence 사치, 관용, 하고 싶은 대로 함
overindulgence 탐닉, 제 멋대로 함, 지나친 방임

Children might hold their breath when they're upset or hurt. Stay calm during a breath-holding spell.
아이들이 화가 나거나 다치게 되면 숨을 안 쉬게 될 수 있습니다. 숨이 멈추는 현상이 생기면 침착 하십시오.
*breath holding spell 아이들 갑자기 숨 멈추는 현상

Does the hotel provide cribs for babies? 호텔에서 아기들을 위한 침대를 제공하나요?
*cot(=crib) 아기침대
*bunk(beds) 이층 침대(주로 아기용)

The boys in that family are each 3 years apart. 그 집 남자애들은 모두 3살터울이다.
We are 1 year apart. 우리는 1살차이다.

You got dust on your hand? 손에 흙이 묻었니?
Then brush it off/Dust off your hand. 그렇다면 손을 털어라.

My mom said 'Don't sass me.' 엄마가 '말 대꾸하지 마' 라고 얘기했다.
*sass 말대꾸 하다, 건방진 말, 행동
She scolded her children for being late. 그녀는 애들이 늦어서 혼냈다.

You are the only one acting up. 너만 버릇없이 굴고 있잖아.
The kids started acting up. 애들이 말을 안 듣기 시작했다
*act up 말을 안 듣다, 말썽부리다
Acting up again. 또 문제네. 또 그러네.
Here we go again. 또 시작이네.

Your child will thrive as an adult. 너의 아이는 어른으로 잘 성장할거야.
*thrive 잘 자라다

They will nurture the boy. 그들이 그 소년을 양육할 것이다.
*nurture 양육하다, 보살피다, 육성하다, 양성하다(=foster)
*nature and nurture 천성과 교육

I was going through puberty. 나는 사춘기를 지나고 있었어요.
*puberty 사춘기, 청소년기(=adolescence[ˌædəˈlesns])
*to reach puberty 사춘기가 되다

Chapter 16. 직업, 직장, 회사

I am off too work. 나 출근해(=I am going to work.)
I was late to work. 나 지각 했어.
I am on the clock. 근무 중 입니다. <-> I am off the clock. 일 끝났어요.(퇴근 했어요)

Why did you burn the midnight oil last night? 어제 왜 밤을 샌 거야?
*burn the midnight oil 늦게까지 일을 하다(=work late)

Stop hazing the new guys. 신입들 좀 그만 괴롭혀.
*haze 괴롭히다 *a first day hazing 첫날신고식

Don′t spread yourself too thin. 너무 많은 일을 벌리지 마.

He is between jobs. 그는 구직 중이다.
She is trying to move to another company. 그녀는 이직을 하려는 중입니다.
*move to another company/change jobs 이직하다
He was reinstated in his post. 그는 자기 자리로 복귀 조치를 받았다.
*reinstate (직장에)복귀시키다. 원위치로 회복시키다(=restore)

I was demoted last week. 저는 지난 주에 강등당했습니다.
*demote 강등 시키다
I was scapegoated for the company′s failure. 내가 회사의 실패에 대한 희생양이 되었다.
*scapegoat 희생양, 희생양이 되다

I got promoted last month. 나 지난달에 승진했어.

He has left for the day. 그는 오늘은 퇴근했어요.
퇴근하다는 *get off work 라는 표현이 있지만 이 문장에서는 오늘은 근무를 마쳤다, 자리를 떠났다는 의미로 쓰였습니다.
여기서 '오늘은'을 표현할 때 today보다 for the day가 자연스럽습니다.
I usually get off work past 6 p.m. 보통 6시넘어서 퇴근한다
What time do you get off today? 언제 퇴근하세요?

Where are you off to?는 무슨 뜻 일까요? 여기서는 퇴근이 아니고, 어디 가?의 의미로 Where are you going? 과 같은 뜻 입니다.

How long is Tom away? Tom은 얼마나 나가 있나요?
A year. He is on sabbatical. 1년이요. 그는 안식년을 보내고 있습니다.
*sabbatical[səˈbætɪkl] 안식년

I got a raise. 나 연봉 올랐어.
Are you getting a raise? 너 연봉 인상돼?

I get my salary twice a month. 나는 한달에 두 번 급여를 받아요.
->I get paid twice a month.
*salary 일반적으로 월급여를 의미(주급, 일급, 시급은 wage를 많이 사용)
급여와 관련해서 틀릴 수 있는 표현들을 알아보겠습니다.
'나는 더 많은 급여를 원한다' 라고 할 때,
I want more salary. 라고 하지 않고 higher salary로 표현합니다.
I want higher salary.
반대로(적은 급여는) less wage가 아니고 lower wage입니다.

I called in sick today. 오늘 병가 냈어요.
*sick leave 병가
He has to take 2 weeks' compassionate leave this time.
그는 이번에 2주간의 특별(위로)휴가를 써야 한다.
*compassionate(연민하는. 동정하는)
*compassionate leave 상 등을 당해 받는 휴가

Can we table this issue for now? 일단 이 얘기는 보류해도 될까요??
Can we push back our meeting to 2PM? 미팅을 2시로 미루다
*push back 미루다 <-> bring forward 앞당기다
I think our biz-trip to Seoul will be brought forward by a day.
우리 서울 출장이 하루 앞당겨 질 거 같아요.

Let's hold off until we talk to Brandon. Brandon한테 얘기하기전까진 보류하자.
*hold off 보류하다.
Hold off on that discussion. 그 논의는 보류하세요.

보류하다, 미루다 등 우선순위와 관련된 다양한 표현들을 알아보겠습니다.
Shelve (계획을)보류하다(=put on ice), (책 등을) 선반에 얹다, (아래쪽으로) 경사지다
My company has shelved the idea until next month.
회사가 그 아이디어를 다음달까지 보류시켰다.
Can it wait? 나중에 해도 될까요?
That/It can wait. 그건 나중에 해도 돼/더 중요한 게 있어.
First things first! 중요한 것부터 먼저요!
Put a pin in it. 그 얘긴 나중에 다시 하자.(지금은 잠시 멈추고)
Let's circle back to the topic next week. 그 주제는 다음주에 다시 얘기하지요.
Can we revisit this topic next week? 다음주에 이 주제를 다시 얘기할 수 있을까요?
*revisit 다시 방문하다, 다시 논의하다(=circle back)
I really don't like to talk shop over coffee. 커피 마시면서 일 얘기는 하고 싶지 않아요.
I don't talk shop. It's Friday night! 일 얘기 안 할래요. 금요일 밤이잖아요!
*talk shop (직장 밖에서)일 얘기를 하다
*shoptalk (직장 밖에서 하는)일 얘기

The photocopier keeps jamming up. 복사기에 종이가 자꾸 걸린다
*jam (먹는)잼, 혼잡, 교통체증, 밀다(밀어 넣다), 작동하지 못하게 되다.
*jam out (음악을 즐기면서)연주 하거나, 감상하는 것
They are jamming out in a party.
그들은 파티에서 서로 즐기며 놀았다(주로 노래, 춤 등을 하며)
This is my jam. 내가 제일 좋아하는 거야(특정 음악이나 행위, 대상 등)

*I am in a jam 난감한 상황인데..

My work is sedentary. 내 일은 앉아서 하는 일이다.
*sedentary 몸을 움직이지 않는. 앉아서 하는
반대로 움직이면서 하는 일은 active로 표현합니다. (앉아 있지 않다고 해서 stand라고는 안 합니다)
He became increasingly sedentary in later life.
그는 만년에 들어 점점 더 몸을 많이 움직이지 않게 되었다.

Their conference room had been prepared with meticulous care.
회의실은 꼼꼼한 관리로 준비 되었습니다.
*meticulous[məˈtɪkjələs] 꼼꼼한

I am suffering from Monday blues. 나는 월요병으로 고생하고 있어요.
*Monday Blues 월요병

I've got to work the graveyard shift again? 제가 또 야근을 해야 한다구요?
*graveyard shift 야간근무(=overtime)
I have to work overtime today. 오늘은 야근을 해야 합니다.
He emphasized his strong work ethic and trade union membership.
그는 강력한 직업윤리와 조합원자격을 강조했습니다.
*work ethic 직업정신, 근면성, 업무윤리
She has a side gig as a writer to make extra income.
그녀는 수입을 더 갖기 위해 작가로 부업을 하고 있습니다.
*side gig(=side job) 부업 *gig (특히 임시로 하는)일, 직장

My company was understaffed. 우리 회사는 인원이 부족 했습니다.
*understaffed 인원이 부족한(=undermanned)
Please make sure there is no typo when you write an email.
이메일을 작성할 때는 오타가 없도록 확실히 하기 바랍니다.
*typo 오타

The vice-president must now take on the mantle of the works.
이제 부사장이 업무를 총괄해야 합니다.
*mantle 책임. 역할

Do we have to run everything by your boss?
모든 걸 다 너의 보스에게 물어 봐야 해?
*run by someone ~와 상의하다, 의견을 묻다
Let me run this by my boss. 보스와 상의 해 보겠습니다.
Can I run something by you? 뭐 좀 물어보자

Did you get a chance to read my email? 혹시 제 이메일을 확인 하셨는지요?
Did you read my email? 보다 조금 더 공손한 표현입니다.

He took voluntary redundancy. 그는 자진해서 명예퇴직을 했다.
*redundant 정리해고 당한, 불필요한
redundancy 정리해고, 불필요한 중복
layoff 감원
*lay off '해고하다'와 fire의 차이는 무엇일까요?
일반적으로 lay off는 회사의 재정적 사유 등으로 직원을 감축할 때 사용하고,
fire는 보통 '잘랐다'라고 표현할 때 사용합니다.
As it was very undermanned, I had to go above and beyond my ability.
인원이 매우 부족했기 때문에 나는 내 능력보다 많은 노력을 해야 했다.
*go above and beyond (필요, 기대)이상으로 노력하다, 일하다

비슷한 의미의 표현들을 살펴 보겠습니다.
I know you are bending over backwards. 당신이 몹시 애쓰고 있다는 걸 알아요.
*bend over backwards 몹시 노력하다, 안간힘을 쓰다
It lived up to my expectations. 그건 내기대에 부응했다
*live up to ~에 부끄럽지 않게 살다, 부응하다
He will punch above his weight. 그는 기대이상의 성과를 낼 것이다.
*punch above one's weight 기대, 예상보다/능력 이상의 큰 성과를 내다
*punch up 주먹다짐을 하다.

It's paid off 성공했다. 성과가 있었다.
*pay off 성공하다, 성과를 올리다

I commute by the subway. 나는 기차로 출.퇴근 합니다.
=I take the subway to and from work.
The subway ride to and from my work place is 1 hour each way.
직장까지는 지하철로 왕복 2시간이에요.(편도 1시간)
*drive to work 운전해서 출근하다
take the subway to work 기차로 출근하다
take a bus to work 버스로 출근하다
walk to work 걸어서 출근하다

You've been temping for us for 2 years.
당신은 우리 회사에서 임시직으로 2년 동안 일 해 주었습니다.
*temp 임시직, 임시직으로 일하다

Wow, she must be feeling valued. 와, 그녀는 인정 받은 기분이겠네.
She got recognition from upper management. 그녀는 윗 사람들에게 인정 받았다.
It's unacknowledged. 인정받지도 못해.
If I do something right, it's unacknowledged. 내가 뭔가 똑바로 해도 인정 받지도 못 해요.
How are you holding up? 잘 버티고 있어?
*hold up 견디다.
I got held up at work. 일 때문에 늦었습니다.
여기서 got held up은 ~때문에 잡혀 있다. 빠져 나오지 못하다 라는 의미입니다.
What is the hold-up? 뭘 꾸물거려?

I feel like I don't fit in at my new work. 새 직장에 적응이 안되는 거 같아.
I don't fit in here. 난 여기 안 어울려.
It doesn't fit(for) me. 그건 나랑 안 어울려.
*fit in (사람들과)잘 어울리다, 시간을 내다, 적합하다, 맞다
Thank you for fitting me in. 시간 내줘서 고마워요.

colleague와 coworker의 차이는 무엇일까요?
coworker가 일반적으로 같은 직장에서 근무하는 동료라면, colleague는 같은 업계, 산업에서 일하는 좀 더 넓은 의미의 동료를 말합니다.
I'd love to be considered. 내가 뽑혔으면(선택되어지면) 좋겠다.

I have a hard stop at 9PM.
9시에는 (회의를)마쳐야 한다.(다음 일정이 있어서, 물리적으로 끝내야 하는 시간)
We are scheduled to end at 5PM. 우리는 오후 5시에 끝날 예정이에요.

How much severance pay will I take? 저는 얼마의 퇴직금을 받게 되는 건가요?
*severance pay 퇴직금

Chapter 17. 가정, 가정생활

I have chores to do. 해야 될 집안 일이 있어요.
*do household chores 가사일을 하다
household 가정, chore[tʃɔː(r)](정기적으로 하는)일, 하기 싫은 일

I have to run an errand before I meet you. 당신을 만나기 전에 심부름을 해야 해요.
*errands 집에서 벗어난 할 일들, 심부름(우편 붙이기, 장보기 등)

There will be a power outage soon. 곧 정전이 되겠습니다.
*outage 정전(black out/power failure/power cut), 단수

This toilet is clogged/backed (up). 변기가 막혔어요.
*clog 막다, 막히다

My sister and I have to hang up the laundry first. 나와 누나는 빨래를 먼저 널어야 해요.
*hang up the laundry 빨래를 널다 <-> get/take down the laundry 빨래를 내리다(개다)

집안일에 대한 다양한 행동의 표현들을 알아보겠습니다.
My son is wringing out the rag. 우리 아들은 걸레 물을 짜고 있어요.
*wring 빨래를 짜다
I am mopping the floor. 저는 바닥 걸레질을 하고 있습니다.
I am sweeping the floor. 저는 바닥을 쓸고 있습니다.
She is dusting the furniture. 그녀는 가구 먼지를 털고 있습니다.
My day is doing the ironing. 아빠는 다리미질을 하고 계세요.
I was cleaning rampage. 나는 어지럽혀 진 것들을 정리하고 있었어요.

*rampage 광란(이 문장에서는 '어지럽혀진' 의미로 쓰임)
*curate 어지럽혀진 것들을 정리하다(arrange, organize도 좋음)
tidy up 정리하다, 깨끗이 치우다
sort out (문제를)해결하다, 정리하다
I will sort it out. 내가 해결(정리)할게.
Your cluttered home is stressing you out. 어수선한 방이 너에게 스트레스를 주고있지.
*cluttered 어수선한

가정에서 사용되는 다음의 어휘들은 상당한 빈도로 사용되어 집니다. 알아두시면 유용하겠습니다.
appliance 가정용기기, spigot (외부)수도꼭지
hat rack 모자선반(=overhead compartment)
hinge 경첩, 경첩을 달다, unhinged 경첩이 빠진, 불안정한
water supply 상수도, tap water 상수, 수돗물
sewer 하수관, sewerage 하수도. 하수처리시설
drain 액체를 빼내다. 배수관, drainage 배수. 배수시설
litter 쓰레기. 쓰레기를 버리다 *litre/liter 리터(액체 단위)
utility bill 전기. 수도. 가스 요금, wet wipes 물티슈, oven mitt(s) 오븐장갑
Q-tip(브랜드이름)/cotton bud, cotton swab 면봉, bathrobe 샤워 가운
disposable(=single use) 1회용
window sill 창 앞의 평평한공간. 문틀 *ledge (툭 튀어나온)바위. 창 아래 선반
ceiling 천장, banister 난간

Chapter 18. 동물, 식물

Is your dog potty trained? 당신 개는 용변을 가릴 수 있나요?
*potty 유아용 변기, 미친
The kids are driving me potty. 애들 때문에 미치겠어.

Can I pet him/her? 한번 쓰다듬어 봐도 되나요?(강아지 등)
*어루만지다, 반려동물, 애무하다

How to train a dog to walk on a leash? 개가 목줄을 차고 걷는 걸 어떻게 훈련하나요?
All dogs must be kept on a leash in public places.
공공장소에서는 모든 개를 개줄에 매어 두어야 한다.
*leash[liːʃ] 목줄(=lead) *catch rope 목줄(동물) 말, 당나귀, 소 등에 사용하는 목줄

My dogs don't shed. 내 개들은 털 안 빠져.
*shed 흘리다, 벗다, 탈피하다, 보관하다 *a bicycle shed 자전거보관소
I went to that place to study the local flora and fauna for a month.
나는 그 지역의 동.식물상을 연구하러 한달간 그곳에 갔다.
*the local flora and fauna 그 지역의 모든 동·식물상

I don't believe it is carnivore. It's more like herbivore.
나는 그것이 육식동물이라 생각하지 않아요. 초식동물에 더 가깝지요.
*carnivore 육식동물 <-> herbivore 초식동물 *omnivore 잡식동물

The lion disemboweled its prey and ate them. 사자가 먹이에서 내장을 꺼내 먹었다.
*disembowel 내장을 꺼내다 *prey 먹이, 희생자

The eagle went slowly to the carcass of the elephant.
독수리가 코끼리 사체에 천천히 다가갔다.
*carcass 동물의 시체

The most of the animals breed only at certain times of the year.
대부분의 동물들이 1년중 특정한 시기에만 새끼를 낳는다.
*breed 새끼를 낳다, 사육하다, 품종.유형

동물들의 새끼를 표현하는 어휘를 알아 보겠습니다.

cub	여우, 사자, 호랑이, 곰 등의 새끼
calf	소, 코끼리, 고래 등의 새끼
chick	조류의 새끼
colt	말, 당나귀 등의 새끼

cat 고양이	kitten
kangaroo 캥거루	joey
pig 돼지	piglet
sheep 양	lamb
dog 개	puppy

암.수가 명칭이 다른 동물들의 표현을 살펴 보겠습니다.

동물	Male	Female
사자	Lion	Lioness
호랑이	Tiger	Tigress
곰(북극곰 포함) Bear	Boar	Sow
벌(Bee)	Drone	Worker/Queen
쥐(Mouse)	Buck	Doe
당나귀(Donkey)	Jack	Jenny
닭(Chicken)	Rooster(=Cock)	Hen

Porcupine is a medium-sized rodent. 호저는 중간크기의 설치류이다.
*rodent 설치류 *porcupine 호저(길고 뻣뻣한 가시털이 덮인 동물)

*hedgehog 고슴도치(작고 짧은 가시가 등 전체에 있는 동물) *mole 두더지(가시가 없음)

It was no surprise to us that my son recently broke the world record for sheep shearing.
최근에 우리 아들이 양털 깎기에서 세계기록을 깬 것은 우리에게 놀랄 일은 아니었다.
*sheep shearing 양털 깎기

We met some local birders and they showed us a raptor perched on a dead tree.
우리는 지역의 새 관찰자들을 만났고 그들은 우리에게 죽은 나무 위에 앉아 있는 맹금류를 보여주었습니다.
*perch 앉아 있다 *birder(=birdwatcher) 조류 관찰자 *raptor 맹금류(=birds of prey), 육식조
대표적인 맹금류로는 eagle 독수리, hawk/falcon 매가 있습니다.

A silver serpent showed its back to him. 은색의 큰 뱀이 그에게 등을 보였다.
*serpent 큰 뱀
viper 독사(=adder/venomous snake)
The fangs of venomous snakes are highly modified for piercing the skin and injecting venom into prey.
독사의 송곳니는 피부를 뚫고 먹이에 독을 주입할 수 있도록 고도로 변형되었습니다.
*fang 개. 뱀 등의 송곳니

The catfish is adaptable to a wide range of water conditions.
메기는 다양한 수역 조건에 적응할 수 있습니다.
*catfish 메기

The largest bird eggs are those of the ostrich. 가장 큰 알은 타조의 알입니다.
*ostrich 타조

The common warthog is a wild member of the pig family.
일반적인 혹멧돼지는 돼지과의 야생 동물입니다.
*warthog[wɔːrthɔːg; wɔːrthɑːg] (아프리카)혹멧돼지 *wild pig 멧돼지
What kinds of sea creatures do you know in English? 어떤 종류의 해양생물에 대해 영어로 알고 있나요?

*sea creature 해양생물(=marine life)
일상생활에서 자주 접하게 되는 해양 생물들의 이름을 알아보겠습니다.

fugu 복어(blowfish 팽창어의 일종)
abalone 전복(=ear shell)
scallop 가리비
sea cucumber 해삼
sea weed (김, 미역 등의)해조, 해초류
sea urchin 성게(=sea chestnut)
sea squirt 멍게
warty sea squirt 미더덕

The tentacles of an animal such as an octopus are the long thin parts that are used for feeling and holding things.
문어와 같은 동물의 촉수는 물건을 느끼고 잡는 데 사용되는 길고 얇은 부분입니다.
*tentacle 촉수(낙지, 문어 등 길게 달린 돌기)
It only takes a few days for beans to sprout. 콩이 싹이 트는 데는 며칠밖에 걸리지 않습니다.
*sprout 새싹, 싹이 나다

Deep pink lotus flowers seemed to hover above a silken surface.
짙은 분홍색 연꽃이 부드러운 표면 위에 떠 있는 것처럼 보였습니다.
*lotus 연, 연꽃 *silken 비단결 같은, 부드러운

The tree was in full bloom. 나무에 꽃이 활짝 피어 있었다.
*be in full bloom 꽃이 만개하다 *bloom 꽃, 꽃이 피다

Broccoli is in the "cruciferous" vegetable category.
브로콜리는 "십자화 과" 채소 카테고리에 속합니다.
*cruciferous 십자화 과의 식물(브로콜리, 케일, 양배추 등)

Chapter 19. 죽음

He made his will last week. 그는 지난 주에 유언을 남겼다.
*leave a will 유언을 남기다 *testament (법률용어)유언

She was on her deathbed. 그녀는 죽음을 눈앞에 두고 있었다.
*deathbed 임종의 자리 *deathbed confession 임종 때의 고백

There are arguments for and against euthanasia in Korea.
한국에서는 안락사에 대한 찬반의 논란이 있다.
euthanasia[ˌjuːθəˈneɪʒə] 안락사(=mercy killing/assisted suicide)
*동물에게 안락사를 표현 할 때는 put down을 사용할 수 있습니다.
We have to have out dog put down. 우리는 우리 개를 안락사 시켜야 한다.

He is a terminal patient. 그는 말기 환자이다.
*terminal patient 시한부
He dropped dead on the squash court at the age of 43.
그는 43살의 나이로 스쿼시코트에서 급사했다.
*drop dead 급사하다

His father is buried in the cemetery on the hill. 그의 아버지는 언덕에 있는 공동묘지에 묻혔다.
*cemetery 공동묘지(교회 옆이 아닌)
churchyard/graveyard(교회 옆 묘지)
national cemetery 국립묘지
burial ground 선산(family gravesite/family burial ground)

He worked as an undertaker's assistant when he left school.
그가 학교를 떠났을 때 그는 장의사 보조로 일을 했었다.
*undertaker 장의사 *undertake 착수하다. 책임을 맡다.

We would like to convey our deepest condolences to her family and friends.
우리는 그녀의 가족과 친구들에게 깊은 애도를 표하고 싶습니다.
*condolence 애도, 조의 *condolences to ~에게 조의를 표하다
She was mourned by everyone who knew her.
그녀는 그녀를 아는 모든 이 들로부터 애도를 받았다.
*mourn 애도하다, 애통해 하다
mourning 애도

His body was taken to Seoul mortuary for identification.
그의 시신은 신원확인을 위해 서울 영안실로 옮겨졌다.
*mortuary 영안실

My visits to his house continued until his sad demise at 95.
그의 나이 95세로 죽음을 맞이하기 전까지 나는 그의 집을 계속 방문 했었다.
*demise[dɪˈmaɪz] 종말, 죽음
sudden demise 갑작스러운 죽음
*demisable 양도할 수 있는

The body was sealed in a lead coffin. 그 시신은 납으로 된 관 속에 넣어져 밀봉되었다
*coffin 관(=casket) *lead[led] 납

Chapter 20. 종교

기독교에서 자주 사용하는 표현 중에 '구원하다'라는 말이 있는데요, redemption(구원, 상환, 환수)을 사용합니다.
The redemption of the world from sin. 세계를 죄악으로부터 구함.

Pope's main role is to evangelize and spread the teachings of the Catholic church.
교황의 주요 역할은 복음을 전도하고 가톨릭 교회의 가르침을 전파하는 것이다.
*evangelize 복음을 전파/전도하다(=spread gospel)
*evangelical 복음주의 *evangelist 전도사(=evangelizer) *evangelion 반가운 소식(복된 소식)

Why did Jesus choose 12 disciples to be his apostles?
예수께서는 왜 12제자를 사도로 선택하셨습니까?
*apostle[əˈpɑːsl] 사도, 주창자 *Jesus and the 12 apostles 예수님과 12제자(사도)
It was his creed when he was alive. 그건 그가 살아 있을 때의 신조였다.
*creed 사도신경, 신념, 신조, (종교의)교리,

I attended at vespers, and have seldom been more gratified with the music of the evening service.
나는 저녁예배에 참석했고, 예배음악에 더 만족한 적이 별로 없었다.
*vesper 저녁(evening), 저녁기도의, 저녁의

The pastor and the children all enjoyed it. And prayed a lot.
목사님과 아이들 모두 즐거워 했습니다. 그리고 기도를 많이 드렸습니다.
*minister/pastor 목사 *priest 신부
목회자의 자녀 Pastor Kid/Pastor's Kid(s)/Preacher Kid/Preacher's Kid(s) PK
선교사의 자녀 Missionary Kid(s) MK

Monks in deep red robes walk along the roadside, soliciting donations.
짙은 붉은색 예복을 입은 승려들이 길가를 따라 거닐며 기부를 요청하고 있습니다.
*스님 (Buddhist)monk *주지스님 the chief monk
*robe 예복, 법복, 대례복 *solicit 간청하다, 호객행위를 하다

My little sister wants to be a nun. 내 여동생은 수녀가 되기를 원한다.
*nun 수녀(=sister), 여승

I hope my father will be able to come to my son's christening next week.
우리 아버지가 다음주 내 아들의 세례식에 참석할 수 있으면 좋겠어요.
*christening 세례

He may have joined a religious cult. 그는 사이비종교에 가입했을 수도 있어요.
*cult 사이비종교(=pseudo) *pseudo[sú:dou] 허위의. 가짜의

He began to blaspheme the name of God. 그가 신성 모독적인 발언을 하기 시작했다.
*blaspheme/profane 신성 모독하다
[명사형] blasphemy/profanity

Omnipotent, Omniscient & Omnipresent God 전지, 전능하고 어디에나 계시는 하느님
omnipotent 전능한(모든 것을 다 할 수 있는)
omniscient 전지한(모든 것을 다 아는)
omnipresent 편재하는(어디에나 있는)

He enslaved her to superstition. 그가 그녀를 미신의 노예로 삼았다. (미신에 물들게 했다)
*superstition 미신

I don't think he is an atheist. 나는 그가 무신론자라고 생각하지 않습니다.
*atheist 무신론자(=nothingarian[nʌ̀θiŋɛ́əriən]) *theist 신론자
*agnostic 불가지론자; 무신론자는 신의 존재를 부정하는 반면 불가지론자들은 신의 존재에 대한 확실한 주장을 하지 않음

Chapter 21. 문장과 쓰기

portmanteau(s)[pɔːrtˈmæntoʊ] 여러가지로 이뤄진, (2등분 되면서 열리는)대형 여행 가방
->단어와 관련된 표현으로는 결합어/혼성어 등으로 해석됩니다.
예로 motor(자동차) + hotel(호텔) -> motel 또는 breakfast + lunch -> brunch 의 경우입니다.
blend word라고도 합니다.
compound word는 합성어라고 표현하는데요, portmanteau와 다르게 단어의 형태가 변하지 않고 합쳐집니다. 예) crosswalk, something, earthquake

writing 과 composition은 어떻게 다를까요?
사전적 의미로는 writing은 글쓰기, 집필, 작문이고 composition은 문장구성, 작성법 입니다.
예문으로 뉘앙스의 차이를 보시겠습니다.
My nephew is having problems with writing. 내 조카는 글쓰기에 어려움을 겪고 있다.
I don't think your composition needs correction. 당신의 작문은 고칠 필요가 없을 것 같군요.

각 종 문장부호들에 대한 영어표현을 알아보겠습니다.

!	exclamation mark
_	underscore
.	dot or period
*	asterisk
&	ampersand
~	tilde[ˈtɪldə]
( )	parenthesis
[ ]	brackets
<>	angle brackets

단어의 품사를 영어로 알아보겠습니다

Noun	명사
Countable noun	가산명사
Uncountable noun	불가산명사
Common noun	보통명사
Proper noun	고유명사
Collective noun	집합명사
Material noun	물질명사
Abstract noun	추상명사
Pronoun	대명사
Personal pronoun	인칭대명사
Relative pronoun	관계대명사
Verb	동사
Adjective	형용사
Adverb	부사
Article	관사
Preposition	전치사
Conjunction	접속사
Interjection, Exclamation	감탄사

기타 다양한 어휘, 표현들을 살펴보겠습니다.

Jot that down. 받아 적어.

*jot down (급하게)적다

phrase 구

(cursive)script 필기체

italic 기울어진 서양 글자체

context 문맥

essay 소론, 평론, 수필

critique 비평, 평론

paper 서류, 문서, 논문, 과제물

spacing 띄어쓰기

Chapter 22. 미디어에 자주 나오는 표현

정치, 외교, 선거

The president set the tone for the summit with a firm statement of his policy.

대통령은 그의 정책에 대해 단호한 진술로 정상회의 분위기를 잡았다.

*set the tone 분위기를 조성하다

The State of the Union Address(sometimes abbreviated to SOTU) is an annual message delivered by the president of the United States to a joint session of the United States Congress near the beginning of most calendar years on the current condition of the nation.

<출처: WIKIPEDIA>

연두교서(약어로 SOTU)는 미국 대통령이 국가의 현 상황에 대해 연초 무렵 미국 의회의 (양원)합동회의에 전달하는 연례 메시지이다.

*State of the Union Address 미국 국정연설, 시정연설

*address 연설

The president took the oath of office. 대통령이 취임선서를 했다.

*oath of office 취임선서

*oath 선서, 맹세, 서약

The president granted a general amnesty for all political prisoners.

대통령이 모든 정치범에 대해 일반 사면을 내렸다.

*amnesty 사면, 자진신고 기간

The Teflon Prime Minister has survived another crisis.

타격을 잘도 피하는 수상이 또 한 번의 위기에서도 살아남았다.

*Teflon (실수, 불법행위 뒤에도)타격을 입지 않는

The Israel-Gaza war has got many people talking again about the need for a two-state solution.
이스라엘-가자 전쟁으로 인해 많은 사람들이 2국가해법의 필요성에 대해 다시 이야기하게 되었다.
*two state solution 2국가 해법; 팔레스타인, 이스라엘이 각각 독립 정부를 수립하는 계획
The president visited China with his entourage. 대통령이 그의 수행단과 함께 중국을 방문했다.
*entourage[ˈɑːnturɑːʒ] 수행자, 수행단

South Korea decided to hold a referendum on divorce.
한국은 이혼에 관한 국민투표를 실시하기로 했다.
*referendum 국민투표
call/hold/take a referendum 국민투표를 실시하다
by-election 보궐선거
ballot 투표, 투표용지, 투표를 실시하다(=poll)
poll(s) 여론조사(=survey), 투표, 개표
They were neck and neck in the polls. 그들은 개표에서 막상막하였다.

기타 정치, 외교 관련 표현들

The ayes have it. 다수의 찬성으로 가결되었다. 찬성한 측이 이겼다.
<-> The nose have it. 반대표가 많았다. 반대한 측이 이겼다.
Conservative 보수 <-> progressive 진보
righty 우익인 사람, 오른손잡이 <-> lefty 좌익인 사람, 왼손잡이
republican party 공화당, the democratic party 민주당
establishment 설립, 기득권층

the devolution of power to local government 지방정부로의 권리이양
*devolution 분권, 권력이양(이전)

Common Wealth 영연방(영국과 과거 대영제국의 일부이던 국가들로 구성된 조직)
or 미국 4개주(Kentucky, Massachusetts, Pennsylvania, Virginia)의 state대신 공식 주 명칭사용
or 미국의 연방국

statesman 경험 많은 원로 정치인 *politician 정치인

spokesman 대변인

governor general 총독

reign 통치하다 통치

treaty convention agreement 조약

ratification 비준, 추인

politics 정치

politic 신중한 <-> un(im)politic 신중하지 못한

political 정치적인 <-> un(non)political 정치적이지 않은

summon 초치하다, 소환하다

summons 초치, 소환, 소환장

amalgamation 연합(=union, combination)

exclave 고립영토 예)Alaska(알래스카)

enclave 소수민족거주지 예)Vatican City(바티칸)

No.10 영국총리실(총리관저가 런던 다우닝가 10번지에 소재한 이유로)

PM(=Prime Minister)

patriot 애국자(=loyalist, nationalist) <-> traitor 반역자

patriotic 애국적인, patriotism 애국

A class war criminals A급전범

crack down 탄압하다/crackdown 엄중단속, 탄압

경제

A fast depreciation of the dollar would lead to a "double whammy" for Asia.

아시아 로서는 달러화 가치의 급격한 하락이 '이중의 타격'으로 이어질 수도 있다

*double whammy 이중고

This week we saw SAMSUNG's stock go through the roof.

이번주에 우리는 삼성 주식이 급등하는 것을 보았다.

*go through the roof 치솟다/화가 머리끝까지 치밀다

We will conduct a due diligence in May. 우리는 5월에 실사를 할 계획입니다

*due diligence 상당한 주의의무/(기업. 자산)실사

*due ~로 인한, 마땅히 주어져야 하는 것

This is long overdue. 이건 진작 했어야 했어.

Stock prices plummeted 50% last month. 주가가 지난 달 50% 급락했다(곤두박질 쳤다)
*plummet(=plunge) 곤두박질치다, 급락하다
*plunger 배관청소 도구(뚫어뻥)

We are looking to tap into new funding sources. 새로운 자금원을 찾는 중이에요.
U.S. government decided to slap tariffs up to 40% on steel imports.
미 정부는 철강 수입에 40%까지 관세를 부과하기로 결정했다.
*tariff barriers 관세 장벽
*tariff 관세, (호텔, 식당 등의)요금표, (범법자에 대한)양형 체제

The government will cut back on the related budget. 정부가 관련 예산을 삭감할 것이다
cut back 줄이다, 삭감하다(=slash)
I' ve felt much better since I cut back on the amount of coffee.
커피를 줄인 후에 훨씬 더 좋아진 것을 느꼈다.

They spotted a niche in the market, with no serious competition.
그들은 시장에서 경쟁이 심하지 않은 틈새를 찾아냈다.
*niche 아주 편한 자리(역할, 일 등), (시장의) 틈새
People in the lower income bracket tend to spend more on food.
저소득층 사람들이 음식에 보다 많은 소비를 하는 경향이 있다.
*income bracket 소득계층, 소득구간, 소득층
A plethora of enterprisers will enter the market. 과다한 기업인들이 시장에 투입될 것이다.
*surplus 과잉, 과잉의(=plethora, excess)
a trade surplus of $100 million 1억불의 무역 흑자

기타 경제관련 표현들

real estate boom 부동산폭등
passive income 불로소득
EOD(events of default) 채무불이행
debt restructuring(adjustment) 채무조정

delinquent 채무를 이행하지 않은, 연체된, 범죄 성향을 보이는, 비행의
delinquent loan 연체된 융자금
*juvenile delinquent (소년 범죄인, 미성년 범죄자)
stock market manipulation 주가조작
base rate/key interest rate 기준금리
Oil embargo 원유 금수조치
key currency 기축통화
monopoly 독점 oligopoly과점
inheritance tax 상속세
gift tax 증여세
transfer income tax 양도소득세

사회, 문화

Experts say that social distancing is the most effective way to stop the spread of the virus.
전문가들은 사회적거리두기가 바이러스확산을 막는 가장 효과적인 방법이라고 말한다.
*social distancing 사회적 거리두기
eased social distancing 완화된 사회적 거리두기
<-> enhanced social distancing 강화된 사회적 거리두기

This plan is to stamp out racism. 이 계획은 인종차별을 뿌리 뽑기 위한 것이다.
*stamp out 척결하다, 뿌리뽑다, 근절하다
corruption 부패를 척결하다
the forest fire 숲 화재를 진압하다
drug abuse 마약남용을 근절하다

The government can grant citizenship to those who hold special talent.
정부는 특별한 재능을 가진이들에게 시민권을 수여할 수 있다.
*citizenship 시민권, 시민의 신분

New York City Mayor Eric Adams today appointed Kathleen Corradi as the city's first-ever citywide director of rodent mitigation, also known as the 'rat czar.' [출처: NYC]
뉴욕 시장 Eric Adams는 오늘 Kathleen Corradi를 '쥐 황제'라고도 알려 진 시 최초의 설치류

완화감독관으로 임명했다.
*Citywide Director of Rodent Mitigation 설치류 감소 감독관
*mitigation 완화
*Czar/Tzar 황제(옛 러시아의), 정부기관의 비공식 담당자

Do not believe QAnon's lies. 큐어넌의 거짓말을 믿지 마라.
*QAnon 온라인 상의 미국 극우 음모론 집단

Long-term exposure to inorganic arsenic, mainly through drinking-water and food, can lead to chronic arsenic poisoning.
주로 식수와 음식을 통해 무기비소에 장기간 노출되면 만성 비소중독으로 이어질 수 있습니다.
*arsenic poisoning 비소 중독
*inorganic 무기물의(무기질) <-> organic 유기농의, 유기의
*chronic 만성적인 <-> acute 급성의

The film will be directed by Jon M. Chu, who is gearing up for the November release of his highly anticipated film "Wicked," starring Ariana Grande and Cynthia Erivo. Marc Platt will produce, Universal said in its news release.
[출처: NBC NEWS]
이 영화는 아리아나 그란데와 신시아 에리보 주연의 매우 기대되는 영화 '위키드'의 11월 개봉을 준비하고 있는 존 추 감독이 맡을 예정입니다. 유니버설은 보도자료에서 마크 플랫이 제작할 것이라고 밝혔습니다.
*gear up 채비하다, 준비를 갖추다
*news release(=press release) 뉴스보도(자료)

He says he's had more groupies more than a rock band. 그는 락밴드보다 더 많은 소녀 팬들이 있다고 말합니다.
*groupie (가수를 따라다니는)소녀 팬

아래는 우리가 미드나 영화에서 가장 많이 듣고 보게 되는 범죄, 수사, 재판 등에 관련 한 어휘/표현입니다.
autopsy 부검. 검시(=post mortem)

Unabomber 소포폭탄 테러범
knock on effect 연쇄반응 chain reaction(= domino effect)
attempted murder 살인미수
suspect 의심하다. 혐의자
suspected tax evasion 탈세혐의(=on suspicion of tax evasion)
vindicate 정당성을 입증하다, 혐의를 벗기다.
New evidence will fully vindicate him.
새로운 증거가 그의 혐의를 완전히 벗겨줄 것이다.(무죄를 입증할 것이다)
My plan will be completely vindicated. 내 계획은 완벽하게 정당성이 입증될 것이다.
*vindicator 변호자, 옹호자
conflict of interest 이해충돌
copycat 흉내쟁이 모방자 모방하는 *a copycat crime 모방범죄
undercover 비밀리에 하는, 첩보활동의 *an undercover agent 첩보요원
He went undercover as a drug dealer. 그는 마약거래상으로 위장활동을 했다.
racketeering charge 공갈혐의
mastermind 배후조정자
heroes and villains 영웅과 악당들
riot[ˈraɪət] 폭동, 폭동을 일으키다
insurrection 반란, 내란, 사태(=uprising)
rampage 광란
lawsuit 소송 *file a lawsuit 소송을 걸다(=sue)
*suit 정장. 어울리다 *suite 스위트 룸
summon 소환하다 *a summons 소환/소환장 *subpoena 소환장
testimony 증거, 증언
sustain 인정하다
overrule 기각/각하하다 *override 기각하다, 무시하다 *overturn 뒤집다(판결 등을)
holding that ~라 판결한
plead 유/무죄를 답변하다. 애원하다
How do you plead? 당신은 무죄입니까? 유죄입니까?
plea 애원, 간청, 답변(항변), 유/무죄 답변, (법원에 제출하는)사유서
plea bargaining 양형 거래
DOMA(Defense of Marriage Act) 결혼보호법

perjury 위증, 위증죄

tap/wiretap/phone tap 도청

jury 배심원

appeal 항소, 상고 or 매력

jurisdiction 재판권, 관할권

speculation 추측

leading question 유도신문

hearing 공판, 심리

accuse 고발, 고소, 기소, 비난하다 *accused 피고, 피의자 <-> defendant 피해자

plaintiff 원고

verdict 평결(배심원의)

probation 집행유예

inmate 수감자(=prisoner)

convict 유죄를 선고하다, 기결수 *conviction 유죄선고, 확신(심증)

firm/strong/confident belief 심증 <-> evidence/proof 물증

condemn 비난하다. 유죄판결을 하다 <-> acquit 무죄를 선고하다

on bail 보석되다

do(serve) time 교도소생활을 하다, 징역살이를 하다(=serve a jail term)

affidavit[æfəˈdeɪvɪt] 진술서, 선서

previous conviction 전과 *ex-con(vict) 전과자

co-conspirator 공모자

Chapter 23. 대표적인 구동사(Phrasal Verbs)

Call at ~에 정차하다. 들르다.

Does this bus call at the city hall? 이 버스 시청 앞에 서나요?

Call in ~전화하다, 부르다

Call him in here. 그를 이리로 불러

Many people have called in sick today. 많은 사람들이 아파서 결근하겠다고 전화가 왔어요.

Call somebody out ~을 부르다, 호출하다

Call-out 호출, 출장서비스

We may need to call out an engineer. 어쩌면 기술자를 불러야 겠네요.

I will just call out for a sandwich. 전화로 샌드위치를 주문할 거 에요.

Call on 요청하다, 촉구하다, 방문하다

She will pay a call on her colleagues. 그녀는 동료들을 방문할 것이다.

The policy is to call on all employees' communication skills.

그 정책은 모든 직원들의 의사소통능력을 요구하게 될 것이다.

Call off 취소하다

The football was called off. 풋볼게임은 취소되었다.

Call it off. 취소해.

Call up 전화로 연락하다

기본적으로 call 과 call up은 의미가 비슷합니다.

Let's call him(= let's call him up) 그에게 연락하자.

명사형 Call-up으로 쓰였을 때, (군대의)소집, 징집, (출전 등을 위한) 부름의 의미가 있습니다.

I received my call-up papers. 소집명령서를 받았다.

*call around 여기저기 전화하다

Call down (아래쪽으로)소리 지르다, ~을 내려 주십사고 빌다, 꾸짖다

She called me down. 그녀는 나를 야단쳤다.

It is not right to call down a curse on someone's head.
누군가에게 저주가 내리길 비는 것은 옳지 않다.

Carry on 계속 가다(움직이다), 투덜대다
Carry on until you get to city hall, then make a right turn there.
시청까지 계속 가다가 거기서 우회전을 하세요.
Carry out 수행하다
They carried out a bombing raid on enemy bases. 그들은 적진에 폭탄 습격을 단행했다

Come across 우연히 마주치다, 이해되다, 인상을 주다
마주치다(=run into, meet by chance, happen to meet, meet by accident)
I came across (ran into) Tom the other day. 얼마전에 탐 이랑 마주쳤어.
I am sorry if that came across wrong. 내 표현이 잘못 (전달, 이해)되었다면 미안해.
He strikes me as a hard worker. 그는 열심히 일하는 사람인 거 같아.(그런 인상을 줘.)
*strike me as (나에게) ~인상을 주다
Come across with (요구에 응하여)~을 주다.. 넘겨주다 자백하다
She came across with her fault. 그녀는 잘못에 대해 자백했다.
How much did they come across with? 그들이 얼마나 지불했나요/주었나요?
Come at ~에게 덤벼들다(=attack)
Many guys suddenly came at her. 많은 남자들이 갑자기 그녀를 공격했다.
Come by 잠깐 들르다, ~을 얻다
This is really hard to come by. 이거 정말 구하기(얻기)어려운 거야.
This is low hanging fruit. 이건 아주 (얻기가, 성취하기가) 쉬운 거야.
It's like pulling teeth. 얻기 한번 힘드네. 이루기 힘들다
Finding a cure for the disease is the holy grail.
그 질병에 대한 치료법을 찾는 것은 얻기가 매운 어려운 일이다.
*holy grail 가지고 싶어 하는데 갖기 어려운 것
Come in (밀물이)밀려오다, (경주에서 몇 위로) 들어오다, ~에 관여하다
The horse you picked came in last. 당신이 선택한 말이 마지막으로 들어왔어요.
I checked his plan but I can't see where I come in.
그의 계획을 확인해 봤는데 내가 어디에 관여를 해야 할 지 모르겠다.
Come in! 들어와!

Come out (해,달,별)이 나오다, 피다(꽃), 생산(출간)되다, 알려지다

The rain stopped and the sun came out. 비가 그치고 해가 나왔다.

Some flowers came out(=bloomed) earlier than usual. 어떤 꽃들은 평년보다 일찍 피었다.

Just come out! 그냥 나와!

Come on 등장하다, (경기중에) 합류하다, ~(원하는 대로)되어가다

Brian came on for John at the end of the game.

경기 마지막에 Brian이 John을 대신해서 나왔다.

Oh come on! 이봐요! 말도 안돼! 이리와!

Come off 떼어낼 수 있다, 일어나다, 이루어지다, 성공하다

Does this hood come off? 이 모자는 뗄 수 있나요?

That's not gonna come off the top of my head 바로 떠 오를 것 같지 않아요.

Come up (땅을 뚫고) 나오다, 뜨다, 생기다(발생하다)

The sun comes up(rises) at 5:55 tomorrow morning. 내일 아침 해는 5시 55분에 뜬다.

Something has come up. 무슨 일이 생겼다.

His birthday is coming up. 그의 생일이 다가온다.

Come up to ~에 다가가다(=approach)

My trip to China didn't come up to my expectations. 중국여행은 내 기대에 못 미쳤다.

Won't you come up to Korea for a few weeks? 한국에 몇 주 오지 않을래?

Come up with 생산하다, 제시하다, 찾아내다

I have come up with a better idea. 더 좋은 생각을 해냈다.

how did you come up with that? 어떻게 그런 생각을 해 낸 거야?

Come down 무너져 내리다, 착륙하다, 추락하다, (가격 등이) 내리다.

The ceiling came down. 천장이 무너져 내렸다.

The snow/rain came down. 눈이/비가 내렸다.

Come down to 결국~이 되다, ~에 이르다, 요약되다

It all comes down to price in the end. 결국 가격이 제일 중요하다.(가격으로 귀결된다)

Come to terms with 받아들이다, 타협하다(=compromise)

You should come to terms with reality. 넌 현실을 받아들여야 해.

Fill in 채우다, 대신하다, 자세히 알리다

You need to fill in this form before you leave. 떠나기 전에 이 양식을 기입해 주세요.

Fill him in. 그한테 설명해줘.

Could u fill me in? 나한테 설명 좀 해줄래?

I will fill you in later. 내가 나중에 설명해 줄게.

I need someone to fill in for me. 나 대신 해 줄 사람이 필요해.

Fill out 작성하다, 더 커지다

Please fill out this form in capital letters. 이 양식을 대문자로 기입해 주세요.

Fill (somebody) out 떠보다, 간보다

Fill him out. 그를 간 봐 봐, 한번 떠 봐.

후단의 *put out feelers 참조

fill in / fill out 은 둘 다 서류 등을 작성할 때 무언가 작성하다, 채워 넣다 라는 의미가 있는데요, fill in 은 주로 공란을 채우다 라는 의미라면 fill out은 문서를 신청, 제출할 수 있도록 완성하라는 의미로 이해할 수 있습니다.

Fill up (기름탱크를)가득 채우기

I will fill up the gas tank. 기름탱크를 가득 채울 거야.

Fill it up, please! 가득 넣어주세요(주유소에서)

Get in 타다(설 수 없는 이동수단; 승용차, 택시 등)

Let's get in the car. 차에 타자.

Get out 알려지다, 펴내다, 빠져나가다

You will be in trouble if the truth gets out. 진실이 알려지면 넌 곤경에 처하게 될 거야.

Get on 타다(설 수 있는 이동수단; 버스, 기차, 지하철 등)

Get on the bus! 버스에 타

Get on with ~와 잘 지내다(get along with), ~을 계속하다.

Get on with it. 본론으로 들어가, 진행시켜, 착수해.

Get it on the go. 진행시켜.

Shall we get on with the test? 테스트를 시작 해 볼까요?

I can get onalong) with her. 나는 그녀와 잘 지낼 수 있다.

Get off(=depart) 출발하다

We have to get off at 7 in the morning. 7시에 출발해야 한다.

Off we go! 출발! 자 가자!

Get up (앉거나 누워 있다가)일어나다, (바람 등이)거세지다

Please get up when the president come in. 대통령께서 들어오시면 자리에서 일어나 주십시오.

Get up! 일어나!

Get down 우울하게 만들다, 삼키다, 적어 두다

The news will get her down. 그 소식은 그녀를 낙심 시킬 것이다.

Get down! 엎드려! 자세 낮춰!

Get down to ~까지 파고들다, ~을 시작하다.

Let's get down to business. 사업얘기를 해봅시다.

Get through 극복하다, 이겨내다, 지나가다

She had to get through the narrow road to find her new office.

그녀는 새 사무실을 찾기 위해 좁은 길을 통과해야 했다.

We just managed to get through the hard time. 우리는 간신히 그 힘든 시간을 극복했다.

Get over ~을 넘다, 건너다, (장거리를)가다, 극복하다, (불행 따위를)잊다

Let's get over this with. 빨리 끝내 버리자.

*get over with ~을 끝내다

Give in 굴복하다. 항복하다

You gave in a little too willingly. 너는 너무 기꺼이 굴복했어.

I just gave in. 그냥 굴복했어요.

비슷한 의미로 많이 쓰는 *give up은 중도에 포기하다의 의미로 많이 사용됩니다. 차이점을 보여주는 유명한 문장이 있는데요,

'Never give up, never quit and never give in'

절대 포기하지 말고, 그만두지 말고, 굴복하지 마라.

*give up 과 give up on도 의미상 차이가 있는데요,

give up이 어떤 활동, 습관, 노력 등을 중단하거나 그만두는 것을 의미한다면, give up on은 특정한 사람이나 대상에 대한 희망, 신뢰 등을 잃어서 더 이상 노력하지 않기로 할 때 사용합니다.

She decided to give up smoking. 그녀는 담배를 끊기로 결심했다.

She gave up on her students. 그녀는 학생들을 포기했다(더 이상 기대를 안 하다)

*cave (in) 굴복하다, 항복하다, 함몰하다

She is unlikely to cave in to demands for a public apology.

그녀는 공개사과에 대한 요구에 굴복하지 않을 듯 하다.

Give it up 박수를 보내다

Give it up for him 그에게 박수를 보내주세요!(칭찬하거나 환호해 줄 때)

Put your hands together. 박수 한번 주세요! 박수 쳐 주세요!

Give out 바닥(동)이 나다, 나눠 주다, 힘이 빠지다

Their food supplies will give out in a week. 그들의 비축식량이 일주일안에 동이 날 것이다.

Will you give out some food to your friends? 친구들에게 음식 좀 나눠주겠니?

Give down (암소가 젖)을 내다

The cow needs to give down. 저 소는 젖을 낼 필요가 있다.

Give on ~으로 통하다, (창문 등이)~에 나 있다. ~면하다

The living room windows give on to the riverside. 거실의 창문이 강가 쪽으로 나 있다.

Give off 풍기다, (냄새, 열, 빛 등을) 내다

When it is hot, our bodies give off heat. 날씨가 더워지면, 우리 몸은 열을 내보낸다.

It gives off a romantic vibe. 그것은 로맨틱한 느낌을 풍긴다.

You reek of cigarette. 너 담배냄새가 진동해

*reek(안 좋은)냄새를 풍기다

Go at 열심히 하다, (공격하려고) 달려들다(=come at)

We really went at the job for our goals. 우리는 목표를 위해서 정말 열심히 일 했다.

Go in 안으로 들어가다, (해.달.구름 속으로) 들어가다

Won't you go in? 안 들어 갈 거야?

Go out 외출하다, 탈락하다, 발송되다, 발표되다

I went out to meet my friends for lunch. 나는 친구들과 점심을 하기 위해 외출했다.

The notices have gone out already. 안내문은 이미 발송되었다.

Go on 시작하다, 나오다, 벌어지다, 계속되다.

My heart will go on. 내 마음은 (변치 않고) 계속 될거예요.

Go off 울리다, 발사되다, 자리를 뜨다

The smoke detector didn't go off. 연기 감지기가 작동하지 안았다(울리지 안았다)

She went off to drink. 그녀는 술을 마시기 위해 자리를 떴다.

I've got to skedaddle or I'll be late. 난 서둘러 떠나야 해. 안 그러면 늦어.

*skedaddle 서둘러 떠나다. 자리를 뜨다

The gun went off by accidentally 총이 잘못 발사되었다.

Go up 올라가다, 들어서다, 소실되다, (가격, 기온 등이) 오르다

The price of mobile phone is going up. 핸드폰 가격이 오르고 있다.

The whole house went up in flames. 집 전체가 화재로 소실되었다.

Go down 내려가다, (가격, 열, 온도, 점수 등이) 떨어지다. (해, 달)이 지다

Let's go down. 내려가자

The market price is going down. 시장가격이 떨어지고 있다.

Go through 겪다, 통과하다, 성사되다, 자세히 들여다보다

We need to go through the security check. 우리는 보안체크를 거쳐야(통과해야)한다.

You will go through a difficult period soon. 너는 곧 어려운 시기를 겪어야 될 거야.

You have to go through this task to report to headquarters.

당신은 본부에 보고하기 위해서 이 업무를 처리해야 합니다.

Go with 어울리다. 받아들이다,

Does this shirt go with those pants? 이 셔츠는 저 바지와 잘 어울리나요?

I go with the flow. 나는 대세를 따른다(흘러가는 대로 간다)

Are you going out with Jane these days? 너 요새 Jane하고 사귀니?

*go out with ~와 사귀다

He decided to go along with my plan. 그는 나의 계획을 따르기로 결정했다.

*go along with ~을 따르다. 찬성하다, 잘 지내다

Hang 걸다

Hang your jacket on the rack. 재킷을 옷걸이에 걸어 놓으세요.

Her paintings hang in the gallery. 그녀의 그림들이 미술관에 걸려있다.

Hang in 매달리다, 교체하다.

Hang in there. 버텨! 잘 견뎌!

Jinny will hang in for Candy's role. Jinny는 Candy와 역할을 교체할 것이다.

The plan hangs in the balance. 그 계획은 불확실한 상태이다.

Hang out (~에서)많은 시간을 보내다. (사람과)어울리다. 빨래를 널다

The kids hang out at the playground. 아이들은 운동장에서 많은 시간을 보낸다.

He hangs out with his team members. 그는 팀 멤버들과 잘 어울린다.

I am just hanging out the laundry.(washing/wash) 난 지금 빨래 널고 있어.

*hanger 옷걸이

*hang-out (누군가)사는 곳, 자주 가는 곳

Hang on 꽉 붙잡다, 잠깐

Hang on a sec. 잠깐만 기다려(=hold on)

Hang on a tick! 순간을 잡아라!

The team hung on for victory. 그 팀은 승리를 위해 계속 버텼다.

Hang off 매달려 있다, 늘어져 있다.

A man is hanging off the building. 남자가 건물에 매달려 있다.

Hang up 전화를 끊다, ~을 다 쓰다.

I hung up after five minutes. 난 5분뒤에 전화를 끊었다.

Don't hang up on me. 전화 끊지 마.

*hang-up 정신적장해, 고뇌, 콤플렉스

Hang down 아래로 늘어지다, 흐늘어지다.

They hung down a curtain. 그들은 장막을 드리웠다.

Every hotel hangs down 'No Vacancies' signs. 호텔마다 '빈방 없음' 간판을 내 걸었다.

Hang over (수동형으로)숙취를 겪다. (계속)남아있다. ~에 매달다.

She is hung over so she will not come tonight.

그녀는 숙취에 시달리고 있어서 오늘 밤에 안 올 거야.

Don't let that memory hang over your head.

그 기억이 너의 머리위에 계속 남아있게 하지 마라.

Please give it to me to hang over the mirror. 거울 위에 걸어(매달아) 놓게 그걸 이리 주렴.

*Hangover 숙취(명)

I woke up with a hangover. 난 숙취와 함께 잠에서 깼다.

Sleep off a hangover. 잠으로 숙취를 없애다.

Keep in ~속에 넣어두다, 억제하다, 감추다

She couldn't keep in her indignation. 그녀는 분노를 감출 수 가 없었다.

*indignation 분개, 분함

*Keep in touch. 연락하자.

Keep out ~에 들어가지 않다.

The sign on the door said "Keep out"

그 문에 걸린 간판에 '들어오지 마시오' 라고 적혀 있었다.

Keep on ~를 계속 고용하다, 계속 빌려 쓰다.

Keep on until you get to the city hall. 시청에 도착할 때까지 계속 가세요.

Keep off 내리지 않다, 멀리하다, 피하다.

Keep off! Wet floor. 조심하시오! 젖은(미끄러운) 바닥.

In the end we could keep off a misfortune. 결국 우리는 화를 면할 수 있었다.

keep up 계속해 나가다

You are doing a great job! Keep it up! 아주 잘하고 있어. 계속해!

Keep up the good work! 계속 수고해 줘!

Keep down 억압하다, 억제하다.

Keep it down. 조용히 해 줘. 소리 좀 낮춰.

Keep your voice down. 목소리 낮춰.

*be quiet '아무 소리내지 마라'와는 약간의 뉘앙스 차이는 있습니다.

*Put a sock in it. 조용히 해.(입 다물어라, 말을 하지 말아라의 뉘앙스)

*Don't raise your voice. 목소리 높이지 마.

Knock off 중단하다, 끝내다

Please knock it/that off. 제발 그만해.

Lay off 그만둬, ~해고하다, ~그만 먹다

Lay off me. 날 내버려둬.

My company had to lay him off due to his corruption.

회사는 그의 비리문제로 그를 해고해야만 했다.

*layoff(명사) 감원

Let off 봐주다, 면하게 해주다, 발사하다

Let me off this once. 그냥 넘어가 줘. 한번만 봐 줘.

I will let you off this time. 이번은 그냥 넘어가 주지.

넘어가 주다, 봐 주다의 표현은 여러가지가 있습니다.

Let it slide/let off the hook/turn a blind eye

Look after ~에 주의하다, ~맡다

Can you look after my bag? 가방 좀 봐 줄래?

*look after는 문제가 있는지 없는지 지켜보는 수동적 의미로 사용되고 take care of는 적극적으로 보살피는 의미로 사용합니다.

I need to take care of my brothers. 난 형제들을 보살펴야 합니다.

Look out for 조심하다, 보살피다

Thanks for always looking out for me. 신경 써줘서 고맙다.

You gotta look out for number one. 자기 자신을 먼저 챙겨야 해.

Look up 위를 쳐다보다, 상황이 나아지다, (사전 등을)찾아보다.
Things were beginning to look up. 상황이 나아지기 시작하고 있었다.
Look down 아래쪽을 보다, 얕잡아(낮춰)보다.
Don't look down! 내려 다 보지 마!
Don't look down on me. 날 얕잡아 보지 마.
Look over ~대충 훑어보다(살펴보다)
We will look over your resume in time. 우리는 제 시간에 당신의 이력서를 살펴보겠습니다.
*overlook 간과하다, 내려다보다
He seems to have overlooked the most important truth.
그가 가장 중요한 사실을 간과한 듯 보인다.

Make do with ~에 만족하다(만족스럽지 않지만)
We were in a hurry so we had to make do with a quick snack.
우리는 급해서 재빨리 간단한 식사를 하는 것으로 만족해야 했다.
Make of ~로 만들다, 생각하다, ~라고 이해하다
What do you make of it? 어떻게 생각해?
어떤 대상에 대한 견해나 평가를 묻는 표현입니다.
What do you make of the new president? 새 대통령에 대해서 어떻게 생각해?
What do you say? 어떤 제안에 대한 의견을 묻는 것으로, ~하는 거 어때? 로 사용됩니다. What do you say to making up with him? 그와 화해하는 거 어때?
Make out 지내다, 해 나가다, 애무(섹스하다), 키스하다
How did she make out? 그가 어떻게 해냈어?
We made out. 우리 키스했어.
*kiss와 make out의 차이는 kiss는 꼭 섹슈얼한 의미로 사용하진 않지만 make out은 성적인 의미가 담겨있고 다른 스킨십도 의미합니다.
*make love (to somebody) 섹스(성관계)를 하다
Make up 화장하다, ~이루다, 화해하다, ~만들다
I just made that up. 그냥 지어 낸 얘기야.
I made up with her yesterday. 난 그녀와 어제 화해했어.
*reconcile 화해시키다.
They were reconciled after their teacher made an apology.
그들은 선생님이 사과를 한 후 서로 화해했다.

Let me make it up to you. 내가 나중에 보상할 게.
I don't bury the hatchet. 난 화해안해!
*bury the hatchet 화해하다, 다시 친구가 되다.
*hatchet 손도끼
Make down 비(눈)가 오다(영어권 일부에서 사용), 마련하다
It's making down hard. 비가 엄청 내리네요.
Let's make down new rules. 새로운 규칙을 만듭시다.

Pick on 놀리다, 괴롭히다, 혹평하다
I was afraid of being picked on. 괴롭힘을 당하게 될까 걱정했다.
Pick out 선택하다, 뽑아내다, 장식하다
Would you please help me pick out a pair of pants? 바지 고르는 것을 도와 주실래요?
Pick over ~잘 살펴보다
Pick over the beans and remove stones. 콩들을 잘 살펴보고 돌을 골라 내어라.
Pick up 회복되다, 강해지다, 계속하다, ~를 태우다, 정리하다, 꼬시다
Let's pick up where we left off in the morning. 아침에 중단한데서 다시 시작합시다
He was trying to pick up girls at the club. 그는 클럽에서 여자들에게 작업을 걸고 있었어요.
Will you pick up all your toys? 너의 장난감들을 전부 치우겠니?
He was picked up by the police. 그가 경찰에 체포되었어요.
I will pick you up in Gangnam. 강남에서 (차에) 태울게요.
*pick you up or pick up you?
구동사에서 대명사는 사이에 와야 합니다. I will pick up you.(X)
일반명사는 뒤로 붙입니다. I will pick up the kids.(O)
The rain is picking up. 비가 강해지고 있어요(빗방울이 굵어지고 있어요.)
The economy is starting to pick up. 경기가 회복되기 시작 했습니다.
Where did you pick up your English? 영어 어디서 배웠어?(어떻게 잘 하게 됐어?)
Please pick up the phone! 전화 좀 받아요!

Pull back 후퇴하다/pullback 철수. 물가등의 하락
*fall back 후퇴하다/fallback 대비책
*retreat 후퇴하다
Why are you back pedaling? 왜 발뺌하는거야? 말 바꾸는거야?

*backpedal 페달을 거꾸로 밟다, 후퇴하다, 철회하다, 행동을 취소하다

Pull in (도로 한쪽으로)서다, (차를)세우다

The police car signaled to us to pull in. 경찰차가 우리에게 차를 세우라고 신호를 보냈다.

Pull out 옆으로 빠져나가다, 끌어내다, 손을 떼다, 뽑다(잡아뜯다)

A car suddenly pulled out. 차 한 대가 갑자기 옆으로 빠져나갔다.

That project is becoming so expensive that we have to pull out.

그 사업은 점점 비용이 오르고 있어서 우리는 손을 떼야 한다.

It's too late to back out now. 물러나기엔(손을 떼기엔) 너무 늦었어.

*back out 손을 떼다

Pull on 계속 노를 젓다, ~을 파고들다, 잡아당겨 입다(신다, 끼다)

He pulled on a sweater and ran out of the house. 그는 스웨터를 입고 집 밖으로 달려 나갔다.

Don't pull on a rope. 밧줄을 잡아 당기지 마세요.

Pull off 벗어나다, ~을 빼다, 해내다.

you pulled it off. 해 냈구나.(그 어려운 걸)

You need to pull off your car right away.

당신은 지금 당장 차를 빼야 해요. (도로에서 벗어나게 해야 한다 의미)

차를 댄다고 하는 주정차의 의미는 *pull over로 표현합니다.

Pull up (옷깃 등을) 치켜세우다(추켜 올리다), (의자)끌고 오다

Pull up the chairs here, please. 의자들을 이쪽으로 끌고 오세요.

She pulled up her collar when it got windy. 바람이 불자 그녀는 칼라(옷깃)을 치켜세웠다.

Pull down ~를 무너뜨리다, 허물다, 철거

Please pull down the blind(s) 블라인드 좀 내려주세요.

They will pull down the house. 그들이 집을 무너뜨릴 것이다.

Put away 치우다

I put away my clothes. 내 옷들을 치웠다.

Put in (선거를 통해)~를 집권하게 하다, (장비,가구)들여놓다, ~집어넣다, (말하는데) 끼어들다

Could I put in a word? 제가 한 마디 해도 될까요?

Are you going to put in for that job? 그 일자리를 요청할 건가요?

Don't worry. I can put in a good word for you. 걱정 마. 내가 얘기 잘 해 줄게.

*put in a good word for someone ~대해 얘기를 잘 해 주다.

Put out (불을)끄다, 내쫓다, 해고하다, 출판하다

He was trying to put out fires first. 그는 우선 시급한 문제를 해결하려고 노력하고 있었다.

*put out fires 불을 끄다 or 시급한 문제를 해결하다

I don't think we can iron out major issues quickly.

우리가 주요한 문제들을 빨리 해결하지는 못할 것 같습니다.

*iron out 다림질하다, 원활하게 하다, (오해, 장애물 등을) 없애다, 해결하다.(=straighten out/resolve/reconcile)

Put on 몸에 걸치다, 가장하다

She was putting on a respirator. 그녀는 인공호흡기를 달고 있었다.

He is just putting on a brave face. 그는 단지 자신 있는 척을 하고 있다.

*put on a brave face 자신 있는 척하다

Put off 미루다, 싫어하게 만들다, 방해하다.

I kept putting it off. 난 계속 그걸 미뤄왔어.

This will only put them off. 그들로 하여금 정만 떨어지게/반감만 사게 할거야

Put up ~을 올리다, 보이다

She put up(=used) an umbrella. 그녀는 우산을 썼다.

She put up a front but I knew that she was not happy.

그녀는 안 그런 척했지만 난 그녀가 행복하지 않음을 알고 있었다.

*put up/on a front 속마음을 감추다, 안 그런 척하다(앞에 벽을 구축하다의 느낌)

*put on a facade[fəˈsɑːd] 아닌 척 하다

*facade (실제와 다른) 표면, (건물의) 정면, 허울

I am just the facade. 나는 단지 허울일 뿐이다.

*superficial 깊이 없는, 표면적인(피상적인), 표피상의

superficial differences 표면적인 차이들

Put up with ~참다, 참고 견디다

I can put up with minor inconveniences. 나는 사소한 불편들은 참을 수 있다.

I can't stand it. 난 그건 참을 수 없어. 견딜 수 없어.

Put down 착륙하다, ~를 바보로 만들다, 내려놓다

He put down in a field. 그는 들판에 착륙했다.

They had to have their dog put down. 그들은 그들의 개를 안락사 시켜야 했다.

Plug away 꾸준히 하다.

He's been plugging away at his English study for years.

그는 수년간 영어공부에 끊임없이 노력을 해 왔습니다.

Roll off 굴러 떨어지다, 복사하다, 인쇄하다
It rolls off my shoulders pretty easy. 난 그런 것은 잘 흘려 보낸다.(자연스럽게 잘 털어 보낸다)
It doesn't roll off the tongue. 발음하기 쉽지 않아

Set off 출발하다, 유발하다
Let's set off early. 일찍 출발하자.
*head out 향하다, 출발하다
Set up
He was set up by his friends. 그는 친구들에게 속았다.(함정에 빠졌다)
It was a set up 그건 함정 이었어요.
The company set me up with a car and an apartment.
회사는 나에게 차와 아파트를 제공해 주었다.
I set her up with my cousin. 그녀를 내 사촌에게 소개 시켜 줬다.
*이성 간 만남을 위해 소개를 할 때는 introduce보다 set up으로 표현합니다.
Can you set me up on a blind date? 소개팅 시켜줄 수 있어?
*blind date 소개팅

Show off 자랑 질 하다, 으스대다.
He did it to show off how rich he is. 그는 그가 얼마나 부자인지 자랑하려고 그것을 했다.
Stop showing off. 자랑 좀 그만해.
Don't flatter yourself. 우쭐대지 마. 잘난 척 하지 마.
Stop flaunting! 과시 좀 그만해!
*flaunt 과시하다
It's not a humble brag. 은근히 자랑 하는게 아니에요.

Take for ~이라고 생각하다.
What do you take me for? 날 뭘로 보는 거야? 사람을 어떻게 보고.
Who do people mistake you for? 사람들이 당신을 누구와 착각 할까요?
Take it from me 정말이다, 내 말 믿어
Take it from me, he is not poor. 정말이야 그는 가난하지 않아.

믿다/믿는다 와 관련한 표현에 여러가지를 살펴볼까요?

You can take that to the bank. 믿어도 돼 진짜야.

I'll take your word for it. 믿어 볼 게.

Don't hold me to it. 확실하진 않아요.(내 말을 100%믿지는 마세요.)

Give him the benefit of the doubt. 속는 셈 치고 믿어봐.

Take in (신문 등을)구독하다(=subscribe), 상품을 사입하다, 거두다, 포함하다

The tour takes in main cities in America. 그 여행은 미국내 주요 도시들을 포함한다.

I used to take in The New York Times. 난 뉴욕타임즈를 구독하곤 했다.

I can't take it in 받아들일 수가 없어

It's a lot to take in. 감당하기 힘들어

Take out 꺼내다, 들어내다

How many teeth did the dentist take out? 치과의사가 이를 몇 개 뽑았어?

*takeout 가지고 가는 음식(=takeaway)

Take out on 화를 풀다, ~에 퍼붓다.

Don't take it out on me. 나한테 화풀이 하지 마.

화풀이하다, 탓하다, 분풀이 하다의 비슷한 표현들은,

Don't put it on me./Don't vent (out) on me.

Take on 떠맡다, 고용하다, 떠들어대다, 맞서 싸우다

Take me on. 나를 받아 주세요.

What's your take on that? 그것에 대해 어떻게 생각해?

You wanna take on me in bingo? 나랑 빙고게임을 하자고?

I am ready to take on the world! 난 세상과 맞설 준비가 되어있어!

Take off 이륙하다, 떠나다, (옷을)벗다

The plane took off an hour ago. 그 비행기는 한시간 전에 떠났다.(이륙했다)

Take up (끝난 데서)계속하다, (옷의)기장을 줄이다. 배우다, 시작하다

The new album takes up where his last one left off.

새 앨범은 그의 지난 앨범에 끝났던 데서 시작하다.

His nose takes up his entire face. 코가 얼굴대부분을 차지하네요!

Take down 치우다, 끌어내리다, 기록하다

Let's take down a tent. 텐트를 걷읍시다.

Don't take down your pants. 바지 끌어내리지 마.

Take down what I said. 내가 말 했던 것을 적으세요.

*takedown(명)급습

Take over ~인계 받다, 장악하다, 맡다

I will take it over. 내가 맡아서 할게.

Tell off 야단치다(=tick off) 핀잔주다

I told him off for his bad behavior. 난 그의 나쁜 행동에 대해 야단을 쳤다.

*tick off 는 tell off와 같이 누군가를 야단치다의 의미 외에 '화나게 하다'라는 뜻도 있습니다.

That really ticks me off. 그게 정말 나를 화나게 해.

Turn in 안쪽으로 향하다, 잠자리에 들다, 돌려주다

Her feet turn in. 그녀는 발이 안쪽으로 향한다.

You need to turn in your books when you leave. 떠날 때 책들을 반납해 주세요.

*turn oneself in(to the police) 자수하다

Turn out 모습을 드러내다, 되다, 끄다, 정리하다, 바깥쪽으로 향하다

It didn't turn out like I intended. 내가 의도한 대로 되지 않았다.

We never know how our kids will turn out. 우리는 애들이 어떻게 될 지 절대 알 수 가 없다.

Turn on 켜다, 대들다, 달려있다

Feel free to turn on the heater. 필요하면 언제든지 히터를 켜세요.

Turn off 끄다, 잠그다, 벗어나다

Should we turn off here? 여기서 (길을)벗어나야 하나요?

I just turned off the light. 이제 막 불을 껐어요.

Turn up 나타나다, 도착하다, 생기다

I am sure it will turn up. 분명히 어디선가 나올 거야.

He thinks something will turn up. 그는 무언가 생길 거라 생각해.

Turn down 거절하다, 각하하다.

Are you turning me down? 저를(저의 제안을) 거절하는 건가요?

Turn over 뒤집다, 돌아가기 시작하다, 채널을 돌리다

Don't turn over too much. 너무 많이 뒤집지 마.

Can I turn over to BBC? BBC 채널로 돌려도 돼?

Turn to 의지하다.

I am turning to you. 난 너에게 의지하고 있어.

Walk out on ~에서 떠나다, ~을 버리다.

His mom walked out on him. 그녀의 엄마는 그를 버리고 떠났다.

They decided to part ways with their company. 그들은 회사와 결별하기로 결심했다.

*part ways with 결별하다, 떠나다

Chapter 24. 콩글리쉬, 필수문법, 배경지식

개나 고양이를 '기른다'의 표현은 어떻게 할까요?

I raise a cat.이라고 하면 다소 사육한다의 느낌을 주게 됩니다.

I have a cat.으로 표현하는 것이 자연스럽습니다.

I am married. 나는 결혼했어요.(결혼한 상태)

I got married. 결혼(식)을 했다.(보통 wedding을 떠올림)

She has been married to Steve for 3 years. 그녀는 Steve와 결혼하여 3년째 살고 있다.

She got married to Steve 3 years go. 그녀는 Steve와 3년전에 결혼(식)을 올렸다.

*with를 사용하지 않습니다.

She looks as if he is rich. 그녀는 부자 같아 보여.

She acts as if she were rich. 그녀는 부자인 척 행동해.(실제로는 아니면서)

*as if 마치 ~인 듯

추측은 현재형으로, 현실과 반대는 과거형으로 표현합니다.

hope vs wish

hope 가 현실 가능성이 충분히 있는 상황에 사용한다면, wish는 실현 가능성이 낮거나 없는 상황에 사용합니다. 따라서 주로 가정법에서 많이 활용하게 됩니다.

I hope we can have a dog. 우리가 개를 기를 수 있으면 좋겠어요.

I hope I will pass the test. 시험에 통과하면 좋겠어요.(가능성이 있는)

I wish I would pass the test. 시험에 통과할 수 있으면 좋을텐데.(가능성이 낮은)

I wish I could fly. 내가 날 수 있으면 좋을텐데.

I work 와 I do my work 차이는 무엇일까요?

둘 다 '일을 한다'라는 의미이긴 합니다. 앞의 work는 '일하다'의 동사이고 뒤의 work는 '일'이라는 명사입니다.

I work for an investment company. 저는 투자회사에서 일합니다.
와 같이 직장을 다니고 있다든가 어느 분야에서 일을 한다라는 의미입니다.
요즘은 뭐 하세요? 라는 질문에 '(놀지 않고)일하고 있지' 라는 의미로 답을 할 때는
I am working. 이라고 해도 좋습니다.
회사에서 일하고 있는 친구에게 전화를 걸어 '지금 뭐하고 있어?'라고 물었을 때 '일(특정한 업무)를 하고 있는 중이다' 라고 대답할 때는 I am doing my work now. 라고 답하면 되겠습니다.

Something is in/between your teeth. 이빨에 무언가 끼었어요.
*on으로 사용하지 않습니다.

나는 왼손잡이/오른손잡이/양손잡이 입니다. 어떻게 표현할까요?
I am left-handed./I am right-handed./I am ambidextrous.
*ambidextrous 양손잡이의, 양손을 다 쓰는

입냄새 mouth smell?
입냄새는 bad breath 라고 표현합니다.
The diet had side effects: headaches, constipation and bad breath.
다이어트는 부작용들이 있습니다: 두통, 변비 그리고 구취입니다.

suggestion vs proposal
둘 다 제안, 제의 의미를 가지고 있습니다.
suggestion은 다소 가벼운 아이디어로 상대방이 받아 들이거나 안 받아 들이거나 상관이 없는 경우에 주로 사용되고, proposal은 보통 회사나 사업상의 제안으로 보통 단계적인 계획을 가지고 있어 상대방이 해당 제안에 대해 비용/이익적인 측면에 대해 분석할 경우 사용 되어지는 것이 일반적 입니다.
I would like to suggest you take his proposal for your foreign business. 나는 당신의 해외사업을 위해 그의 제안을 받아 들이기를 추천 합니다.

What time is it open?은 영업시간을 물어보는 질문입니다.
It's 9-5 from Monday to Friday. 월~금까지 9시~5시 영업합니다.

What time does it open?은 오픈 시간을 물어보는 질문입니다.
It opens at 9AM. 오전 9시에 개점 합니다.

'outside house' vs 'outside of the house'
'집 바깥의' 의미로 사용할 때는 구별이 없습니다. 둘 다 사용 가능합니다.
outside of Sundays 일요일 외에도
*outside 겉면, 바깥쪽, 바깥의, 옥외의 *outside of 바깥쪽에, ~이외에, ~한계를 넘어

recently vs lately
recently 최근에 경험한 한가지 사건 or 일(주로 1회성)
lately 이전부터 최근까지 경험한 사건, 일(과거부터 이어오는 지속, 반복적 상황)
Recently I went to Japan to meet my parents. 난 최근에 일본에 부모님을 보러 다녀왔어
A baby was born recently. 최근에 아기가 태어났어요.
I have been getting better lately. 나는 최근에 점점 좋아지고 있어요.

think of(떠오르거나 짧은 생각) vs think about(곰곰히 생각)
I am thinking of you. 너 생각 하고 있어.
I am thinking about staying here another night. 여기서 하루 더 머무는 것에 대해 생각 중이야.

스킨쉽 skinship?
한국에서 많이 통용되는 skinship을 원어민들은 physical affection/touch 라고 표현 합니다.
Physical affection can improve the quality of life. 스킨쉽은 삶의 질을 향상시킬 수 있습니다.
*affection 애착, 보살핌, 애정

suspect vs doubt
suspect ~를 했을 것이라고 생각
I suspect you have been infected. 나는 당신이 감염된 것 같아요.
doubt ~하지 않았을 것이라고 생각
I doubt that it will rain today. 비가 안 올 것 같은데요.

우리가 영어에서 가장 많이 사용하는 단어 중에 하나가 Go 일 듯 한데요, 목적어에 따라
전치사와 관사가 어떻게 변하는지 살펴보겠습니다.

Go	–	shopping, home, dancing
	for	a walk, a swim, a run
	on	a date, vacation, a cruise
	to	church, school, bed
	to a	party, show, bar
	to the	toilet, hospital, cinema

'on the beach' vs 'at the beach'

둘 다 맞는 표현입니다. 구분을 하자면 on the beach는 physical location이 해변에 있는 상태를 표현 할 때, at the beach는 '해변가'를 광범위하게 표현 할 때 사용합니다.

My kids are playing on the beach now. 우리 애들은 해변에서 놀고 있어요.

We are planning to spend our summer vacation at the beach this year.

우리는 이번 여름휴가를 해변에서 보내려고 합니다.

*in the beach라고는 사용하지 않습니다.

*I often go for a stroll along the beach. 나는 종종 바닷가를 따라 산책을 한다.

at sea

오픈 된 바다에서 사람/사물이 배/보트 등에 타고 있을 때, 또는 불확실한 상태, 분명한 방향을 가지고 있지 않은 상황 등에 대한 표현으로 사용

The sailors were at sea for weeks before reaching their destination.

선원들은 목적지에 도착 하기까지 몇 주 동안 바다에 있었다.

The company's future plans are still at sea. 회사의 향후 계획은 아직 결정되지 않았다.

at the sea

해안이나 바다의 해안선 근처에 있다는 등의 바다에 가까운 위치를 나타내지만 반드시 물 자체에 있는 것은 아님.

We had a picnic at the sea and watched the sunset.

우리는 바다에서 피크닉을 하고 일몰을 감상했다.

Their house is located right at the sea. 그들의 집은 바로 바다에 위치해 있다.

My phone is on low battery 전화기 배터리가 다 됐어요.

My phone is running on low battery.(=My phone is running out of battery.)

배터리가 떨어져가는 게 아니고 완전히 방전되어 전원이 꺼졌을 때는 어떻게 표현할까요?
구어 표현으로 My phone is dead. 라고 가장 많이 사용합니다.

The movie starts at 7PM. (O)
The movie will start at 7PM. (X)
약속, 예상, 즉흥적 결정 등에 will을 사용합니다. 영화 상영시간은 정해져 있으므로 현재형을 사용해야 합니다.

1.5라는 표현은 일상생활에서 자주 듣게 되는데요, 어떻게 표현할까요?
one and half (X)
one and a half (O)
one and a half month(X)
one and a half months(O)

'나는 방으로 들어간다'를 어떻게 표현할까요?
I am entering in the room.이 떠오를 수 있습니다만,
I am entering the room.이 맞는 표현입니다.
*enter a school 학교에 입학하다
*enter into(=participate in) ~에 관여하다, (계약 등을)맺다, 들어가다(~대해, 관해)
I don′t want you to enter into details at this stage.
지금 단계에서는 세부적인 내용으로 들어가지는 않았으면 좋겠어.

in the morning이 at dawn보다 시간 상 더 포괄적인 개념입니다.
morning은 일반적으로 동틀녁(dawn)부터 정오(noon)이전까지를 의미하는데요,
at dawn은 절기에 따라 다르겠으나 보통 5~6시를 의미합니다.
표현 상의 차이는 at dawn과 정확한 시간표현은 함께 사용하지 않습니다.
I woke up at 5:40 in the morning.(O)
I woke up at 5:40 at dawn.(X)

시간과 관련된 약어 표현들이 있는데요, 어떤 의미인지 보겠습니다.
ante meridiem 오전, 오전의 (a.m./A.M./AM)
post meridiem 오후, 오후의 (p.m./P.M./PM)

A.D.(AD) Anno Domini 서기(서력기원)
B.C.(BC) Before Christ 기원전

한국인들이 자주 틀리는 숫자 읽기 발음입니다.
20th -> twentieth
30th -> thirtieth
*발음 'eth'에 주의해야 합니다.

I visited my friend's place last night. 나는 어제 친구 집에 방문했다.
보통 ~에 방문하다 라고하면 I visited to라고 하기 쉬운데 visit은 타동사입니다. 전치사 없이 목적어를 바로 취해주면 됩니다.
명사로 사용하면, My visit to Japan in 2024 등으로 표현할 수 있습니다.
*visit with ~와 함께 시간을 보내다/이야기를 나누다
Please come and visit with me sometime. 언제 저랑 함께 대화하면서 시간을 보내요.

칼로리가 높다를 어떻게 표현할까요?
That food is high in calories.로 표현합니다.
That food is high calories.(X)
*(칼로리는 숫자로 셀 수 있어서) many calories라고 해도 맞습니다.
That food has too many calories. 그 음식은 칼로리가 너무 높아요.

손톱깎이를 nail cutter 라고 하는 분들이 종종 있습니다만 정확한 표현은 nail clipper입니다.

might as well! 어차피 이렇게 된 거!
had better와 다른 점은 열정적이지 않은, 상황이 이렇게 되었으니 이거나 해야겠다 의미.

I never thought you would find me. 너가 날 찾을 거라고는 생각도 못 했어.
I never thought it would end like this. 일이 이렇게 끝날 것이라고 생각도 못 했어.
*never thought ~거라고 생각도 못했다.
I've never thought라고 현재완료형으로 표현하지 않는 게 일반적입니다.
eat, see 등 다른 동사들이 의미에 따라 have p.p.로 표현하지만 생각도 못했다는 의미의 think는

과거형으로 사용합니다.

We went in the opposite direction. 우린 서로 다른 방향으로 갔다.
전치사 'to'가 아닌 'in'을 사용합니다.

(일, 발표, 행사 등)을 시작할 때, '자 시작 하겠습니다.'라고 하는데요, 이 때 Let's start! 보다는 Let's get started!/Let's make a start!로 표현합니다.
*Let's start에 문법적 오류는 없습니다.

영국, 영국사람을 표현하는 다양한 표현 들이 있습니다. 어떻게 혼동이 되는지 정리해 보겠습니다.
먼저 국가명칭에 대한 정리를 할 필요가 있습니다.
UK(The United Kingdom)은 Great Britain과 Northern Ireland지역을 합친 국가명칭 입니다.
여기서 Great Britain이란 England, Scotland 그리고 Wales의 3개지역을 일컫습니다.
따라서 지역별 주민들을 부르는 명칭도 달라집니다.
England -> English
Scotland -> Scottish
Wales -> Welsh
Northern Ireland -> Northern Irish
*Republic of Ireland 아일랜드공화국은 별도의 독립국가입니다.

believe vs 'believe in'
I believe you. 난 당신이 한 말을 믿어요.
I believe in you. 난 당신의 존재를/능력을 믿어요.
그래서 보통 신을 믿는다고 할 때 I believe in God.이라고 합니다.

가격이 싸다고 표현할 때 자주 the price is cheap이라고 하는 분들이 계십니다. 가격이라는 단어 자체가 싸고 비싸고 할 수 없으므로 low나 high로 표현합니다.
The price is low. 가격이 싸네요.
The car is cheap. 차가 싸네요.

당신은 요리를 하나요?

Do you cook yourself? Or Do you cook for yourself?

Cook yourself는 너를 요리하다 로 해석되므로 for yourself라고 표현해 줘야 합니다.

'get rid of' vs remove

get rid of는 무언가 성가시거나 불편한 것들을 제거 한다는 의미로 사용되고 remove보다 비격식, 부정적인 표현입니다.

I really want to get rid of this headache. 나는 정말 이 두통을 떨쳐 버리고 싶다.

This shirt is too small for me now, I want to get rid of it.

이 셔츠 이제 나한테 너무 작아. 치워버리고 싶네.

remove는 물리적으로 무언가를 치우다의 개념으로 많이 사용하는데요,

Please remove all the stuffs on the table. 테이블 위에 물건들을 다 치워 주세요.

'~에서 일한다'는 표현을 자주 하게 됩니다. 상황별로 어떻게 다른지 보겠습니다.

I work for 회사이름(예: Samsung)

I work in 분야(예:education)

I work at 장소/위치나 회사내의 부서(예: the marketing department)

*I am with SAMSUNG. 난 삼성에서 일해요.

'leave in' vs 'leave within'

I will leave in an hour. 한 시간 뒤에 떠날 것이다.

I will leave within an hour. 한 시간 안에 떠날 것이다.

처음 만나 인사를 나눌 때 다음과 같이 말하는 분들이 많으시죠?

Nice to meet you.

Me too.

무엇이 잘 못 되었을까요?

당신(대화속의 나)을 만나서 반갑다고 했는데 me too라고 하면 나도 나를 만나 반갑다가 되어버립니다. 따라서 You too. 라고 해야 맞습니다.

'나 여기 맘에 들어' I like here?

I like it here. 가 맞습니다.

인생은 고된거예요. Life is a challenge?
Life is challenging.이 맞습니다
Life is a challenge.는 '인생은 도전이다'라는 의미 입니다.

give and/or take
give and take 주고 받기
give or take 얼추, 대략

'다가 오는' 이라는 말은 상황에 따라 다른 어휘를 사용합니다.
oncoming storm/train/winter 다가 오는 폭풍/기차/겨울
upcoming election/concert/meeting call/message/information
다가(올라)오는 선거/콘서트/미팅 전화/메시지/정보

장소에 사용하는 in/at은 많이 보여지는데요 in이 at보다 더 넓은 지역을 의미하는 것은 기본이고 다음과 같은 차이도 있습니다.
Jack is having lunch at his office. Jack이 사무실에서 점심을 먹고 있어요.
Jack is in his office. Jack은 사무실(안)에 있습니다.
*행위가 따를 때 보통 'at' 사용
식사하다 표현 중에 a/the사용?
보통 dinner, lunch 등 앞에 a/the 안 씁니다.
I had a heavy dinner과 같이 수식어가 있을 때 사용합니다.
I am not having a lunch tomorrow. 이 문장에서 a lunch는 lunch meeting등을 의미합니다. 내일은 점심약속이 없어요.라는 의미로 이럴 때는 a를 사용하기도 합니다.

childlike(순수한) vs childish(=immature) 철이 없는
Don't be so childish. 어린 아이같이 굴지 좀 마.
*childlike는 보통 childish보다 positive한 의미로 사용됩니다.

'선착순'은 first come first served
'먹방'은 eating show/food show

I am tired of ~가 싫증난, 지긋지긋한

I am tired from ~로 인해 피곤한
I am tired of that work. 그 일은 진절머리가 나요.
I am very tired from swimming. 수영을 했더니 너무 피곤하네요.

그녀는 원래 허약하다.
She is originally weak.가 문법적으로 틀린 표현은 아니지만, 선천(천성)적으로의 의미로는 by nature가 더 많이 사용됩니다.
She is weak by nature.
*She is originally from Seoul. 그녀는 원래 서울 출신이다.

어떻게 생각해?
What do you think? 단순히 가진 생각이나 견해를 물을 때
How do you think? 구체적인 방법, 과정 등에 대한 의견을 물을 때
What do you think about our new teacher? 우리 새로운 선생님 어떻게 생각해?
How do you think we can improve our skills? 우리가 기술을 향상시키려면 어떻게 해야 된다고 생각해?

넌 어때? or ~는 어때?(제안) 의미일때는 두 표현 모두 가능합니다.
I can speak English. What/How about you? 나는 영어를 합니다. 당신은요?
What/How about going to Japan next month? 다음 달에 일본에 가는 거 어때?
*남은 무언가를 얘기할 때는 'what about'
Let's buy a new bed. 새 침대를 사자.
What about the old one? 예전거는 어떻게 하고?

every two weeks 2주(격주)마다
같은 표현으로 biweekly or every other week를 사용할 수 있습니다.
semi-monthly(한달에 2번)은 1년이라는 일정기간으로 계산해 보면 2주(격주)마다 와는 횟수에서 차이가 나므로 구분해서 사용할 필요가 있습니다.

'He is sleeping.' vs 'He is asleep.'
sleeping은 행동 자체를 표현하고 asleep은 자고 있는 상태를 의미합니다.

learn-learned(learnt)-learned(learnt)

배우다의 의미를 가진 동사 learn은 과거형과 과거분사형이 각각 learned/learnt 두 가지 형태 모두 가능합니다.

*형용사 learned은 '박식한', '학습된' 등으로 해석 합니다.

wait vs await

wait for 사람, 대상

I am waiting for my wedding. 나는 나의 결혼식을 기다리고 있습니다.

I am waiting for my husband. 나는 남편을 기다리고 있어요.

await 대상

He is in custody awaiting trial. 그는 구금되어 재판을 기다리고 있다.

발음 때문에 자주 혼동 되는 유명한 두 단어이지요?

unanimous[juˈnænɪməs] 만장일치의, anonymous[əˈnɑːnɪməs] 익명의

The decision was not unanimous. 그 결정은 만장일치가 아니었다.

The donor prefers to remain anonymous. 기증자가 익명으로 하기를 원한다.

Look me in the eye. 내 눈을 똑바로 봐.

Look at my eyes. 내 눈을 봐 봐

stop by/drop by/swing by/come by

어느 곳에 들를 때 공통적으로 사용할 수 있습니다.

stop by 가는 길에 짧게 들르다(의도적으로)

drop by 예고없이 갑자기 들르거나 계획없이 편하게 방문하다

등으로 자세히 구별해서 설명하는 학습자료들이 있는데요, 원어민들의 다양한 표현을 접해 보면 그 경계가 모호하므로 편하게 사용하면 되겠습니다.

I will drop by your place on my way back home. 집에 돌아가는 길에 잠시 너에게 들를 거야.

Will you stop by my place later? 나중에 나한테 좀 들러줄래?

Let's swing by the new restaurant and get some food. 새로운 식당에 들러 음식을 좀 먹어보자.

She will come by my office tomorrow. 그녀가 내일 우리 사무실에 들를거에요.

specially vs especially

She likes flowers especially(particularly) roses.

그녀는 꽃을 좋아하는데 장미를 특별히 좋아한다.
This dress was made specially for the event. 그 드레스는 특별히 그 행사를 위해 만들어졌다.

today morning(X), this morning(O)
I woke up early this morning. 오늘 아침에 일찍 일어났어요.

'친구들 하고 놀았다' 하면 I played with my friends.가 먼저 떠오를 수 있는데요,
*play 아이들끼리 놀 때 사용하는 표현입니다.
성인들의 경우에는 I hung out with my friends.가 자연스러운 표현입니다.

for ages, in ages(=for a long time)
I haven't seen my friend in ages/for ages. 나는 친구를 오랫동안 보지 못했다.
두 가지 모두 맞는 표현입니다.

I was waiting for ages(O)/in ages(X)
She has been going to the gym for ages.(O)
She has been going to the gym in ages.(X)
계속되거나 반복되는 행동 등에는 for ages를 사용합니다.
*after a long time 오랜만에
He stood me after a long time. 그가 오랜만에 나에게 한턱 냈다.
It's been a minute 오랜만이다. ('1분만이다'가 아닙니다)
This won't end till the cows come home. 이건 아주 오랫동안 끝나지 않을 거예요.
*till the cows come home 아주 오랫동안

동사의 과거형이 있음에도 원어민들도 ed를 붙여 잘 못 사용하는 대표적인 단어도 있습니다.
He snuck into the my room.(O) 그가 내 방에 몰래 들어갔다.
He sneaked into the room.(X)
*sneak into ~에 몰래 들어가다

answer my question? or answer to my question
answer은 대표적인 타동사(transitive verb)입니다. 따라서 동사로 사용할 때는,
You need to answer her question. 당신은 그녀의 질문에 대답해야 해요.

응답, 대답이라는 명사로 사용할 때는,
It's my answer to her question. 이것이 그녀의 질문에 대한 나의 대답이다.
라고 사용할 수 있습니다.
*대답하다 의미로 또 많이 사용되는 단어가 reply인데요, reply는 대표적인 자동사(intransitive verb)입니다. 자동사는 뒤에 목적어를 붙이기 위해 전치사가 필요 합니다.
I wrote this letter to reply to their request.
나는 그들의 요구에 대답하기 위해 이 편지를 썼다.

There is moisture on my glasses./My glasses are wet. 맞는 표현일까요?
안경에 습기가 차면 앞이 잘 안 보이는데요, 이럴 때는
My glasses are foggy(=fogged up/steamy/steamed up)라고 표현 합니다.

사역동사(make, have, let 등) 다음에는 동사의 원형을 쓴다. 중학교 때부터 줄기차게 배운 내용인데 참 혼동되는 표현 중 하나입니다. 간단하게 정리해 보면,
make, have, let -> 동사원형
get -> to부정사
help -> 동사원형/to부정사 로 알아 두시면 됩니다.
She made(had/let) me laugh. 그녀가 나를 웃게 했다.
I will get him to work there. 내가 그를 거기서 일하게 했다.
Can you help me (to) do this? 이것 좀 도와 주시겠어요?

노크하다 knock the door?
knock the door 문을 (구멍내 듯)치다
knock at/on the door 노크하다
사실 두 문장이 모두 맞기도 합니다만 두번째 표현처럼 knock on, knock at을 더 많이 사용합니다.
I was wakened by a knock at the door. 문을 똑똑 두드리는 소리에 깨어났다.

break? brake?
'자동차 브레이크를 밟다'를 break(깨어지다, 휴식)로 사용하는 분들이 가끔 있는데요,
자동차 브레이크는 brake(브레이크를 밟다, 제동장치)로 스펠링이 다릅니다.
You don't have to brake hard. 브레이크를 세게 밟을 필요는 없어

barista? barrister?
커피전문점 직원은 barista[bəˈriːstə; bəˈrɪstə] (이탈리아어에서 유래)
Barrister[ˈbærɪstə(r)]는 영국 법정에서 변론할 수 있는 법정변호사를 뜻합니다.

한국인들은 대부분 아파트에서 사는 경우가 많은데요, 아파트를 영어로 정확히 뭐라고 할까요?
먼저 apartment는 개별 호실을 의미합니다.
apartment building이 '동'의 개념이고 '단지'는 apartment complex라고 표현해 줍니다.

호텔에서 자주 틀리는 표현들을 알아보겠습니다.
What's the room price?
호텔 등에 숙박할 때 요금을 물어보게 되는데요, 일반적으로 price를 사용하진 않습니다.
What's the room rate for one night? 하루 방요금이 얼마인가요
What's the fee for the accommodation?
What's the room charge for one night? 등으로 표현합니다.
새 수건 좀 가져다 주시겠어요? new towel?
Can I get some fresh towel? 이 맞습니다.
휴지의 경우에도 There is no toilet paper in the bathroom.이라 하고 tissue라고 하지 않습니다.

물 좀 줄까? 목마르니? 할 때 Do you want some water?가 떠오릅니다.
틀린 표현은 아니지만 원어민들은 Would you like some water?를 더 많이 사용합니다.

듣기에서 미묘한 발음 차이로 다른 의미가 되는 문장을 보겠습니다.
I got you a present. 너에게 줄 선물을 준비했어.
I got your present. 너의 선물을 받았어.
비슷한 경우인데 We wish you a merry Christmas.도 We wish your merry Christmas. 로 알고 계신 분들이 많습니다.

앞 뒤 순서에 따라 의미가 달라지는 표현을 볼까요?
I am afraid not. 안타깝지만 안돼.
I am not afraid. 난 두렵지 않아.
Do it over. 다시 해.
Don't overdo it. 너무 무리하지 마.

*overdo 지나치게 하다, (음식을)너무 오래 익히다

indoor? indoors?

indoor/outdoor 실내의, 실외의 (형용사)

indoors/outdoors 실내에서, 실외에서(부사)

I like outdoor activities. 나는 실외활동을 좋아해요.

I want to stay indoors. 나는 실내에 머무르길 원합니다.

give와 provide는 제공하다, 공급하다는 의미로 다양한 형식으로 표현하는데요, 아래 예문을 보겠습니다.

당신에게 음식을 주겠습니다 라는 문장으로,

I will give you some food.

I will give some food to you.

I will provide you with some food. 등으로 표현하고,

I will provide you some food. -> 이렇게는 표현하지 않습니다.

I will provide some food to you.(O)

'조건절'이라고 하지요. 'If'를 사용할 때 앞인지 뒤인지 혼동이 될 때가 있습니다.

If you do it, I will go.(O)

I will go if you do it.(O)

Provided that you do it, I will go.(X)

I will go, provided that you do it.(O)

provided that(=if)은 문장 뒤에 나옵니다.

conversely(부사) 역으로, 반대로

His plan would facilitate the process. Conversely it may make things worse.

그의 계획은 과정을 용이하게 할 수 있다. 반대로 더 악화시킬 수도 있다.

in contrast 그에 반해서

In contrast, American people get off work at 5PM.

그와 반대로 미국인들은 5시에 퇴근한다.

*vice versa(부사) '그 반대도 마찬가지이다'

You can run from Seoul to Incheon or vice versa.

서울에서 인천까지 뛸 수도 있고 그 반대로도 할 수 있다.

It's no use. 소용없어.
no use는 동명사와 함께 다닙니다.
*It's no use trying 시도해도 소용없어

I am good. 난 좋아요?
'좋아요'가 아니고 사양 할 때 '난 괜찮아요' 의미로 표현합니다.

There is only so much I can do. 내가 할 수 있는 게 단지 많아?
이 표현은 '내가 할 수 있는 게 한계가 있어.' 라는 뜻입니다.
There is so much I can do. 내가 할 수 있는 게 정말 많아.
There's only so much I can do to stop her.
그녀를 말리기 위해 내가 할 수 있는게 한계가 있다
she is almost 80 years old. She can only do so much on her own now.
그녀는 80세이다. 그녀가 스스로 할 수 있는 게 한계가 있다.

everyday vs 'every day'
everyday 매일 하는(형용사) -> everyday routine 일상의 루틴
every day 매일 -> I get up early every day. 나는 매일 일찍 일어난다.

단수, 복수의 사용
영화 좋아해? Do you like movie?
영화 한 편을 말하는 게 아니므로 여기서는 movies 복수형이 맞습니다.
I like apples. 나는 사과를 좋아해.
I like apple. 애플(회사)을 좋아해.
Two days is a long time. 이틀은 긴 시간이에요.
한통의 기간으로 보아 단수
Two days are enough. 이틀이면 충분해요.
하루+하루로 보아 복수
경찰이 오고 있습니다. The police is coming?
Police는 단수가 아닌 복수 취급합니다. The police are coming. 이 맞습니다.

content vs contents

우리가 말하는 컨텐츠(내용)가 좋다 라는 의미로 사용할 때 content가 맞습니다.
contents 복수형은 어떤 것 안에 든 '내용물'이라는 의미로 사용됩니다.
충고/조언하다의 advice에서 자주 틀리는 부분은 바로 '복수형' 사용입니다
충고는 단수로 표현해야 맞습니다.
He gave me some advice. 그가 나에게 충고를 좀 했다.
fish의 복수형은 fishes?
fish는 단수, 복수형이 같습니다. 하지만 fishes라고 표현하는 경우가 있는데요,
서로 다른 종의 물고기들이 두 마리 이상 있을 때 fishes라고 합니다.
's' 꼭 붙여야 되는(복수형) 어휘들
headquarters 본부 *headquarter 본부를 두다
congratulations, Olympics/Olympic games, savings account 예금계좌
'S'를 붙이지 않는 대표적인 단어들
furniture, media, data, equipment, scenery, advice, feedback, bread, progress, luggage, money, research

'왕년'이라는 표현은?
'yesteryear' 라고 합니다. of other years/days라고도 할 수 있습니다.
last years(말년, 말기) 라고 하지 않습니다.
That is following in the path of the bad practices of yesteryear.
그것은 왕년의 나쁜 관행을 답습하는 것이다.

우리 똑 같은 가방을 가졌네?
I have same bag with you?
여기서는 with가 아닌 'as'를 사용해야 맞습니다. I have same bag as you.

커피보다 차가 더 좋아. I prefer tea than coffee.?
'~보다 ~가 더 좋다'의 prefer는 than이 아닌 to 와 함께 다닙니다.
I prefer tea to coffee.가 맞습니다.

특정 시간에 대한 전치사 on, in, at
I sleep at night. 난 밤에 잠을 자요.
Something happened in the night. 밤 사이에 무슨 일이 일어났어요.

We met on the night of May 2nd. 우리는 5월 2일 밤에 만났습니다.
I love the quiet on a snowy night. 나는 눈 내리는 밤의 고요함이 좋다.
in the morning of Christmas? -> on the morning of Christmas가 맞습니다.
또는 on Christmas morning라고도 할 수 있습니다.
on the morning of my birthday(=on my birthday morning)
달(month)앞에 in, 날(day)앞에 on,
the morning, the afternoon, the evening앞에 in
night에는 at 사용을 기본으로, 위의 표현들도 알아 두면 유용하겠습니다.
'약속 있어요' 의 다양한 표현
I have plans with my friend today. 나는 오늘 친구들 하고 약속이 있어.
*have a plan은 특정 problem에 대한 solution을 가지고 있다 의 의미로 들려서 친구들과의 만남약속을 말할 때는 복수형인 plans를 사용합니다.
I have an appointment with Dr.Lee this afternoon. 오늘 오후에 이박사님과 진료예약이 있어요.
*공식적인 예약 등을 표현할 때 appointment, promise 누군가와 무엇을 하기로/지키기로 한 약속을 의미

한국 전통 음식 Korean traditional food?
한국말을 순서대로 바꾸면 위의 문장처럼 되지만 영어에서는 traditional Korean food라고 해야 맞습니다.

능동과 수동에 따른 의미의 변화
Everyone loves BTS. 모든 사람들은 BTS를 좋아한다.
-> (예를 들면)블랙핑크가 아닌 BTS를 좋아한다의 의미입니다.
BTS is loved by everyone. BTS를 사랑하는 것은 모든 사람들이다.
-> 몇몇의 사람들이 아닌 모든 사람들로부터 사랑을 받는다의 의미(not by some people)

그들은 아랍인들인가요? Are they Arabian?
Arabian은 지역과 관련해서 말할 때 사용합니다. The Arabian peninsula(아라비아 반도).
아랍사람들은 Arabs(아랍어를 고유 언어로 사용하는 민족)라 하고 그들을 묘사하는 형용사는 Arab; Arab children(아랍 아이들). 언어는 Arabic이라고 합니다.(Arabic script 아랍어 문자)
They are Arabs./He is an Arab.으로 많이 사용됩니다.

원어민들의 논쟁이 많은 부분은 They are Arab. He is Arab.도 문법 상 틀리다고 할 수 없다는 내용입니다. He is a Korean이라고 안 하는 것 과 같다는 의견들입니다.
Saudi Arabian은 사우디 아라비아라는 국적을 가진 사람들을 표현하기 때문에 사우디 아라비아 민족이라고 해석하지는 않습니다.
She is Islam?은 맞는 표현일까요? She is Muslim. 그녀는 이슬람교인이다.가 맞습니다.
*Islam 이슬람교/Muslim 이슬람교도

grow vs 'grow up'
내 개는 빨리 자라요. My dog is growing up fast?
My dog is growing fast. 가 맞습니다.
His business is growing. 그의 사업은 성장하고 있어요.
*grow up은 사람에게만 쓰면 식물이나 동물, 사업 등이 성장한다 라는 표현으로 사용하지 않습니다.
My baby is growing up fast. 아기가 빨리 자랍니다.
Oh, grow up! 철 좀 들어

I was raised ~자랐다. I was raised in Seoul(=I grew up in Seoul)나는 서울에서 자랐어.
*grow on (somebody) 점점 좋아지다, 점점 마음에 들게 되다.
You are growing on me. 너가 점점 좋아지고 있어
It's growing on me. (그것이) 점점 좋아지고 있어.

자리 좀 바꿔 주시겠어요? Please change seats with me.는 틀린 표현 입니다.
자리를 바꿀 때는 'switch'를 사용합니다. Would you switch seats with me?
비인칭주어(it)의 사용
Is it ok to meet at 7PM? 우리 7시에 만나는 거 괜찮나요?
-> Are you ok ~? 라고 하지 않습니다.
Are you available on Monday? 월요일에 시간 괜찮으세요?
-> Is Monday available ~? 라고 하지 않습니다.

'~를 닮다'
You look same with your father.는 틀린 표현입니다.
너는 너의 아버지를 닮았다는 아래와 같이 표현합니다.

You resemble(take after) your father.

You look like your father.

You and your father look alike.

He is a chip off the old block. (부모를)빼 닮았다.

He takes after his father in his writing skills. 아빠 닮아서 글을 잘 쓴다.

My sister and I don't resemble each other. 누나와 난 닮지 않았다.

Me and my son look like two peas in a pod. 나와 내 아들은 똑 닮았다.

*Two peas in a pod(한 자루에 든 두 콩알은 판박이, 붕어빵을 의미합니다.)

'at the time(과거 어느 시절 또는 당시)' vs

'at that time(과거 특정한 시간, 시점 - 화자가 이미 언급하거나 청자가 알고 있는 시점)'

They were living in Seoul at the time of their wedding.

그들은 결혼식 당시에 서울에 살고 있었어.

Why didn't you try to tell anyone about it when you went to the class room?

너가 교실에 갔을 때 왜 아무에게도 그것에 대해 말하지 않았어?

No one was in the class room at that time. 그 때(그 시간)는 교실에 아무도 없었어.

Are you a first born? 첫째 인가요?

형제, 자매 중에 몇째냐고 물어볼 때 쓰는 표현인데요,

둘째는 second, 셋째는 third.

막내는 last 아닌 the youngest라고 표현해야 됩니다.

Congratulations on your birthday?

축하할 때 사용하는 congratulations는 생일 등에는 안 씁니다.

Happy birthday! Happy Valentine's day! 등으로 표현합니다.

Congratulations는 무언가 노력을 해서 얻어낸 결과에 대해 축하할 때 사용합니다.

Congratulations on your promotion. 승진 축하해!

congratulations all the same(어쨌든, 여전히) 축하해

나는 한국에서 왔어요. I came from Korea?

I come from Korea./I am from Korea.처럼 현재형의 표현이 더 자연스럽습니다.

He came from Korea and he died last year. 이럴 때처럼 과거의 행위를 명확하게 표현할 때

과거형을 사용하면 맞겠습니다.

I get(understand) where you are coming from.

너가 왜 그렇게 생각하는지 알아. 너의 의도는 알겠어. 너가 왜 그렇게 말하는지 알아

이제 막 30살이 되었다. I just turned 30. -> become을 사용하지 않습니다.

I am turning 20. 나는 20살이 된다

I am pushing 50. 나는 곧 50살 이다.

나이를 말 할 때 ~대이다, ~중반(초반/후반)이다 등의 표현은 어떻게 할까요?

그녀가 30대인지 아닌지 모르겠다.

I am not sure she is in her 30s or not. 나는 그녀가 30대인지 아닌지 모르겠다.

The director was looking for an actress who is in her early to mid-30s.

그 감독은 30대 초중반의 여배우를 찾고 있었다.

무시하지 마. Don't ignore me?

날 무시하지 마 라고 할 때 자주 틀릴 수 있는데요,

Ignore은 보고도 못 본 척 할 때 어떤 제안들은 무시할 때 쓰는 표현입니다.

He ignored me. 그는 나를 보고도 못 본 척했다.

날 무시하지(깔보거나 얕잡아보지)마 할 때는

Don't look down on me.가 정확한 표현입니다.

대표적으로 자주 틀리거나 한국식으로 표현하는 어휘들의 정확한 표현을 살펴보겠습니다.

멀티탭, 확장선	power strip, an extension lead
콘센트	electrical outlet, power point
전기코드(가전제품에 달린)	electrical plug
전기코드(벽에 붙은 구멍)	socket
전구	bulb
샤워기	shower head
뚫어뻥(변기 막혔을 때 사용하는)	plunger
깁스	cast
블랙박스	dashboard camera(dash cam)
룸미러	rear view mirror

백미러, 사이드미러	side view mirror / wing mirror
러닝머신	treadmill
수정액(테이프)	white out(correction tape)
코팅	laminate
밴드(상처에 두르는)	band-aid
파스(통증 등에 붙이는)	pain relief patch
모닝빵	dinner roll
체크카드	debit card
가글	Mouthwash
믹서기	blender
핫팩	hand warmer
원피스	dress
커플링	matching rings
Solo(독신)	single
프리사이즈	one size fits all
본드(뽄드)	super glue
키친타월	paper towel
더치페이	go dutch/dutch treat
1+1(원 플러스 원)	buy one get one free/two for one
치즈버거세트	cheese burger meal
싸인	*sign (격식적인)서명, 서명하기 *autograph (유명인)사인, 사인을 해주다

개수를 함께 표현해 주어야 하는 표현들도 있습니다.

a bar of soap 비누한개
bundle of banknotes 돈다발
ream of paper 종이 묶음
pile of books 책 여러권
spool of thread 실 묶음

Chapter 25. 알쏭달쏭 Idioms

What's eating you? 무슨 생각(고민)을 그렇게 해??
Penny for your thoughts? 무슨 생각을 골똘히 해?
Something on your mind? 무슨 걱정 있어?
*Something in your mind? (뭐)생각해 놓은 게 있어?

It is one of a kind thing. 그건 독특해.(특별해)
독특한, 유일무이한의 의미로 사람/물건에 모두 사용할 수 있는데요,
사람에게는 You are one of a kind. 라고 표현하면 됩니다.
(말투, 식성, 행동, 가치관 등이 독특함을 표현 할 때)

반대로 독특하지 않고 '별 특징이 없는'이라는 표현은,
cookie cutter(=nondescript/dull) 별 특징이 없는, 비슷비슷한
Handmade goods may appeal to people who are tired of cookie-cutter products.
수제품은 별 특징 없는 상품들에 싫증을 느끼는 사람들에게 매력적일 수 있다.
Your proposals are a dime a dozen in this market.
당신의 제안들은 이 시장에서는 흔해 빠진 겁니다.
*a dime a dozen 흔해 빠진, 평범한

He is not a mediocre musician. 그는 어중간한 음악가가 아닙니다.
*mediocre 평범한. 어중간한
I would say it is mediocre at best. 좋게 봐줘야(기껏해야) 평범한 거 같다.

It's cut and dry. 그건 뻔하네(흥미롭지 않네/무미건조하네)
*cut and dry 명확한, 확정된, 평범한

His plan is cut and dry. 그의 계획은 변경의 여지가 없다.

특별함, 유일무이함을 표현 해 주는 표현이 또 있는데요,
One in a million(특별한, 희박한, 희귀한)입니다.
You are one in a million. 당신은 특별한 사람이에요.
She is one in a million and is irreplaceable. 그녀는 특별하고 대체불가능한 사람입니다.
(특징이 없는 이라는)의미와는 다른 한국어로 '비슷한' 이라는 뜻을 말 할 때 사용하는 표현이 있습니다.
He said something to that effect. 그가 비슷한 얘기를 했어요
*something to that effect 비슷한 것

Stop/Quit dragging your feet. 꾸물 대지 마. 늑장 부리지 마.
drag는 끌다 라는 뜻인데요, 가기 싫어서 억지로 발을 끌고 있는 모습을 생각해 보세요.
He was dragging his feet. 그는 늑장을 부리고 있었다.

서두르다와 관련된 표현들은 어떤 것들이 있을까요?
hurry up 서둘러, 속도를 더 내
chop-chop/shake a leg/step on it/speed it up/pick up the pace도 모두 같은 의미 입니다.
Let's get cracking. 즉시(서둘러서)일을 시작 합시다.

He is my ride or die. 그는 내 찐친이다.(서로 죽고 못사는 사이)
His secretary was his only confidant. 그의 비서가 그의 유일한 절친이었다.
*confidant (비밀을 공유할 수 있는) 친구
*close confidants 측근들
He is becoming her confidant(e). 그는 그녀의 (비밀도 털어 놓을 수 있는)친구가 되고 있어.

I am not high maintenance. 난 까다롭지 않다.
까다롭고, 관심을 많이 줘야 하고, 돈이 많이 드는, 손이 많이 가는 사람에게 표현할 수 있습니다.
그럼 반대로 소탈하고 털털한, 돈이 많이 들지 않는 의미로는?
low maintenance가 되겠습니다.
I am low maintenance.(=I am a low key person.)

You shouldn't cut corners. 대충 하지 마.
*cut corners 절차 등을 무시.생략하다.

She seconded his idea 그녀는 그의 아이디어를 지지했다. 동의했다.
*Second 동의하다
I second that. 나도 그렇게 생각해요. 동의해요.

I will play it by ear. 상황 봐서 결정할게. 대처할게.
비슷한 표현들이 있는데요,
I will just wing it. 그냥 임기응변으로 할거야
I just winged it 그냥 닥쳐서 했지.
Just roll with the punches! 상황에 맞게 대처해!
Cross that bridge when you come to it. 일이 닥치면 그때 걱정해.

I wasn't thinking straight. 내 생각이 짧았어.
think straight 똑바로 생각하다로 접근해 보면 생각이 바르지 못했다. 짧았다 라고 느낌이 올 수 있겠습니다.
비슷한 표현으로 'I didn't think through 경솔했어' 로 말할 수 있습니다.

The apple doesn't fall far from the tree. 피는 못 속이지.
사과가 나무에서 멀지 않은 곳에 떨어진다는 말은 '그 아버지의 그 아들'과 같은 의미입니다.
Don't put me on the spot. 날 곤란하게 하지 마.
You are putting me on the spot. 날 곤란하게 하는구나.
*put on the spot 곤란하게 하다
You are putting me on은 전혀 다른 의미로 '웃기지마, 놀리지마' 라는 뜻입니다.
*spot 점, 반점, 얼룩, 발견하다, 찾다, 알아내다

spot은 여러가지 표현에 자주 등장합니다.
That hits the spot. 바로 이거야. 시원하다. 등 만족을 표현할 때
It's really spot on. 딱 맞는 말이구나.
It is a sore spot. Don't bring it up. 아픈 곳이야, 얘기 꺼내지 마.
*hit a sore spot 아픈 곳을 건드리다

I am in a bit of tight spot. 내가 좀 곤란한(난처한)상황에 있는데.

Sorry to put you on the spot. 곤란하게 해서 미안해.

Can you spot me? 나 좀 봐 줄래?(옆에서 무슨 일이 생기나 지켜보라는 의미)

the best way to spot an idiot 바보를 찾아내는 가장 좋은 방법

Would you like to spot me some money? 나 돈 좀 빌려 줄래?

I have a soft spot for baseball. 나는 야구를 정말 좋아해.

*have a soft spot for ~에 약하다, 정말 좋아하다

Get the ball rolling. 일단 일을 시작해. (공이 굴러가게 만들어라는 의미를 생각 해 보면)

ball 이 사용되는 많은 표현들이 있는데요, 한번 알아 보겠습니다.

Give me a number. ballpark. 대략적인 숫자를 알려줘.

*ballpark 야구장. 대략적인 양, 숫자

*give or take 대략(=approximately)

He is always on the ball. 그는 똑 부러지는 사람이다.

*on the ball 빈틈없는 <-> clumsy 서툰, 어설픈

Keep your eye on the ball. 집중해(한눈 팔지 마)

The ball is in your court. 이젠 네 차례야, 너가 책임질 차례야.

You are on. 네 차례야.

We are having a ball 우린 즐거운 시간을 보내고있어.

Have a ball! 즐거운 시간보내!

You got balls. 용기 있네.

ballsy 배짱 있는 <-> gutless 배짱 없는

drop the ball 실수를 하다. 일을 망치다

Play hard ball, man~! 세게 나가!, 강경하게 나가!

I can play hard ball. 나도 세게 나갈 수 있어

It's a different(whole new) ball game. 그건 완전히 다른 상황(국면)이에요.

I am a little torn. 좀 헷갈리네(뭐가 좋을지)

I am torn between pizza and chicken. 피자와 치킨사이에 고민된다

=I am debating between pizza and chicken.

=I am still waffling between pizza and chicken.

=I am in a tossup between pizza and chicken.

*tossup 동전 던지기, 반반의 가망
*toss up 동전 던지기로 정하다
I am on the fence. 결정을 못하고 있어요.
Don't sit on the fence. 어느 쪽인지 결정해.
I keep going back and forth. 오락가락 해.
Your reputation precedes you. 당신 평판(명성)은 이미 들어 알고 있어요.
(직역: 평판이 당신을 앞섰다.)
It's nice/great to put a face to the name. 드디어 만나게 돼서 반갑습니다. (말씀 많이 들었는데 직접 보게 되어 좋다)
I've heard a great deal about you. 얘기 많이 들었어요.

You are really playing hard to get. 당신 참 비싸게 구네요.
*play hard to get (초대 등을 즉각 받아들이지 않고) 비싸게 굴다

It's time to get your hands dirty. 열심히 일할 타임이다.
*get hands dirty 손에 흙을 묻히다는 말은 '궂은 일을 하다', '발 벗고 나서다'의 의미입니다.

Don't rub it in. 들먹거리지 마. 상기시키지 마(원치 않는 것). 염장 지르지 마.
*rub one's nose in it 과거의 실수를 들춰 약을 올리다/들먹이다.
I would really like to rub your smarmy nose in it!
나는 정말 너의 (과거의 실수를 들춰서) 약을 올려주고 싶다고!
*smarmy (진실성은 없이)지나치게 나긋나긋한(상냥한)
*rub it in과 rub nose in it 표현의 in, it순서에 유의하시기 바랍니다.
I don't want to rub salt in your wound. 당신이 아픈 곳을 다시 건드리고 싶지 않아요.
*salt in/into the wound 아픈 곳을 더욱 아프게 하다, 불 난데 부채질하다
Birds of a feather flock together. 날개가 같은 새들이 함께 모인다?
*flock 떼, 모이다, 떼 지어가다, 무리
유유상종, '비슷한 사람들끼리 모인다'는 의미입니다.

Takes one to know one. 끼리끼리 알아본다. 사돈 남 말 하네.
Look who's talking. 너나 잘해(사돈 남 말 하네)
You are (the/a fine) one to talk. 너가 말할 처지는 아니지. 사돈 남 말하네.

That's the pot calling kettle black. 그게 사돈 남 말 하는 거지.
*pot 냄비 *kettle 주전자

A haircut can make or break a career! 헤어스타일이 성패를 가른다고요!
He could make or break us. 그에게 우리 성패가 달렸어
*make or break 성패를 가르다

When Jessica invites people for dinner, she always goes the whole nine yards, with appetizers and desserts.
제시카는 사람들을 저녁식사에 초대할 때 항상 전체요리부터 디저트까지 완전하게 마련한다.
*Whole nine yards 모든 것, 완전한 것.

I think you will have a stab at it someday. 나는 너가 언젠가는 그것을 시도할 것 같아.
*have a stab at ~를 시도하다
*stab 찌르다, 찌르기, 찌르는 듯한 통증

Let's see if I can jog/refresh your memory. 당신 기억을 상기시킬 수 있는지(상기 시킬 만 한 게 있는지) 보자구요.
I need all hands on deck now. 지금은 모두 힘을 합쳐주세요. 다같이 함께 해주세요.

If you can't stand/handle the heat, get out of the kitchen. 열을 견딜 수 없으면 주방에서 나가라는 표현은 어떤 의미일까요?
한국 속담에 절이 싫으면 중이 떠나라는 표현이 있습니다. 어려움을 견딜 수 없다면 있는 곳에서 나와야 한다는 의미입니다.
You are in the dog house. 넌 찍혔어(눈 밖에 났어).
*in the dog house 면목을 잃어, 인기를 잃어, 사이가 서먹해 져

I am not a pushover! 난 호구가 아니에요!
*pushover 아주 쉬운 일, 호락호락한 사람
The test will be a pushover. 시험은 식은 죽 먹기 일거 에요.
'호구' or '봉' 이라고 흔히 말하는 비슷한 표현으로 'sitting duck'이 있습니다. 표적/공격받기 쉬운 대상이라는 뜻을 가지고 있습니다.

It's like shooting a sitting duck.
*식은 죽 먹기다 라는 의미의 Bob's your uncle.도 함께 알아 두세요.

Don't shoot the messenger 엉뚱한 사람한테 화풀이하지 마. 엄한 사람 잡지 마라.
말을 전하는 사람에게 화풀이를 한다는 의미인데요,
화풀이하다는 위에서 언급한 don't take it out on me. 가 있고, You are lashing out on me now.
의 표현도 있습니다.
*lash 후려치다, 채찍질

Maybe I was reading too much into it. 내가 너무 확대해석 했을 수도 있겠군요.
*read too much into ~확대해석하다.
Don't read (too much) into it. 너무 크게 의미 두지 마.

In for a penny, in for a pound. 한 번 시작한 것은 끝을 봐야지.
(비용, 시간, 노력 등이 얼마가 들더라도 끝을 봐야 한다는 표현)

So, please keep me in the loop while you are in London.
당신이 런던에 있는 동안 나에게 돌아가는 상황을 알려주세요.
*keep ~ in the loop ~에게 돌아가는 상황을 알려주다

If you need any further requirement, I am at your disposal.
추가적인 요청사항이 있으시다면, 알려주세요(제가 도움을 드리겠습니다)
*at your disposal 누군가를 위해 ~할(도울) 수 있다

The crowd is going banana(s) 관객들이 열광하고 있어.
Can I ask you a cuckoo bananas question? 정신나간(말도 안되는) 질문 하나 해도 돼?
*cuckoo bananas 정신나간, 미친

I always knew that he'd go places. 난 그가 성공할 사람이라는 것을 알고 있었어.
*go places 성공하다, 이기다, 사방으로 돌아다니다

The last thing I want is to hurt my child.

내가 가장 피하고 싶은 건 내 아이에게 상처를 주는 겁니다.
*last thing somebody want ~가 가장 피하고 싶은 것

Jack of all trades, master of none.
모든 일에 능숙한 하지만 그렇다고 어느 하나에는 정통하지 못한 사람을 의미합니다.
비슷한 의미로 다양하게 표현이 되는데요,
A jack of all trades seldom excels at any. 라고도 사용합니다.
*excel 뛰어나다, 탁월하다

I wouldn't be caught dead eating that kind of pizza.
죽었다 깨도 그런 피자는 안 먹어.
*wouldn't be caught dead 절대 하고 싶지 않다는 표현으로 사용합니다.

Don't even think about sweeping that thing under the rug. 그 문제를 슬쩍 미뤄 놓을 생각은 하지도 마.
*sweep something under the rug 숨기다, 덮어두다

Quarter life crisis is all about gaining a time to reassess things for your future.
청년위기는 당신의 미래를 위한 것들을 재평가할 시간을 얻는 것에 대한 것입니다.
*quarter life crisis 청년위기
인생의 1/4지점에서 청년들이 가정과 학교의 틀에서 벗어나 마주하게 되는 직업, 경제, 주거, 인간관계 등에서 느끼게 되는 무력감 또는 그 위기
You make my heart skip a beat.
당신은 나를 설레게(심쿵하게)하네요.
*skip/miss a beat '리듬을 놓치다' 정도로 해석이 되겠는데요,
심장이 뛰지 않게 만든다는 표현은 그 정도로 놀라게 하거나 설레게 한다는 뜻 입니다.

You look amazing. off the charts. 당신 정말 멋있어 보여. 최고야.
My cholesterol levels were off the charts.내 콜레스테롤 수치가 엄청 높았어요.
*off the chart(s) 엄청난

The penny dropped with most of the people. 대부분의 사람들이 이해하였다.

*penny dropped (이제 막)이해했다.

It is written all over your face. 얼굴에 다 쓰여 있어
*written all over one's face 얼굴에 역력히 드러나는, 표정으로 드러나는
Guilty was written all over his face. 그의 얼굴에 죄책감이 역력했다.

He is living on borrowed time. 그가 예상보다 오래 산다.
*live on borrowed time 예상(시한부 등)보다 오래 살다.

I have a hard out at 11:00PM. 나는 밤 11시 전까지는 꼭 끝마쳐야 해요.(떠나야 해요)
*hard out 조정할 수 없는 deadline(어디론 가 떠나거나 일을 마무리 져야 하는 시간)

The price of the test was stated as an out-of-pocket once in a lifetime payment.
검사비용은 평생 단 한번 본인의 비용으로 지불하는 것으로 명시되어 있다.
Mr. Kim is out of pocket. 미스터 김은 부재중이다.
*out of pocket 손해를 보아(본인의 비용이 드는), 쪼들리는, 부재중인

I am just binding my time until everyone else is done.
나는 지금 다른 사람들이 다 마칠 때까지 기다리고 있는 중이에요.
*bind one's time (무언가를 하기 위한) 좋은 기회를 인내심 있게 기다리다

Not my circus, not my monkeys. 내 알바 아니다.(나랑 상관 있는 일이 아니다).
America is a melting pot of many different cultures. 미국은 다양한 문화가 섞여 있는 나라다.
*melting pot(다양한 나라와 문화 등이 섞여 있는)용광로, 도가니
*in the melting pot 변하는 중인, 논의중인
Your report is in the melting pot. 당신의 보고서는 재고(논의)중입니다.

We are going to paint the town red together. 우리는 함께 신나게 즐기고 놀 거야.
*paint the town red 떠들썩하게 놀다, 흥청망청 즐기다.

The day I met her for the first time was truly a red-letter day. 그녀를 처음 만난 그 날은 정말 의미 있는 날이었지.

*(a)red-letter day 기념일, 경축일

우리가 흔히 '빨간 날'이라 부르는 휴일 등을 포함해서 특별한 의미가 있는 날을 표현하기도 합니다.

I used to bite my tongue. 난 하고 싶은 말을 참곤 했어요.

I can't bite my tongue. 난 하고 싶은 말을 참지는 못 하겠어.

*bite one's tongue 하고 싶은 말을 (혀를 깨물 정도로)억지로 참다.

They have done a 180 and quit the project.

그들은 입장을 완전히 바꾸고 프로젝트에서 빠졌다.

*do a 180 입장을 완전히(180도) 바꾸다

Our opponents turned the tables on us and started playing aggressive defense in the second half of the game.

상대팀이 판을 뒤집고(전세를 역전시키고) 후반에 공격적인 수비를 시작했다.

*turn the tables 판을 뒤집다, 형세를 역전시키다

The tables have turned. 모든 상황이 뒤바뀌었다.

After I graduated from university, the tables have turned.

내가 대학을 졸업하고 나서 모든 상황은 뒤바뀌었다.

A perfect storm is about to hit investors tempted to use certain tax shelters.

특정 조세 회피처를 이용하려는 투자자들에게 더할 나위 없이 나쁜 상황이 닥칠 것입니다.

*perfect storm 안 좋은 일이 동시에 생기는 것(더할 나위 없이 나쁜 상황)

The book that I wrote was a labor of love. 내가 쓴 책은 재미로 한 일이에요.

*labor of love 자진해서 하는 일, 좋아서 하는 일, 봉사활동

It must be written in the stars. 그것은 언젠가 반드시 일어날 일이에요.

We are written in the stars. 우린 운명이야.

*written in the stars 언젠가 반드시 일어나게 되어 있는

She batted away the suggestion that she should step down.

그녀는 자리에서 내려와야 한다는 제안을 받아 쳤다. (쳐 냈다)

*bat away 쳐내다, 받아 치다

Shut your pie/cake hole. 그 입 닥쳐

What we are trying to do is leaving no stone unturned.
우리가 하려는 것은 모든 노력(시도)을 다하려는 것입니다.
*leave no stone unturned 모든 노력을 다하다, 모든 가능성을 탐색하다

No one else was going to step up to the plate. 아무도 나서서 떠맡으려 하지 않았다.
*step up to the plate 책임감을 가지고 나서다.(일을 맡다)
*plate 야구에서 타자가 서있는 타석

I am just starting to get the hang of it. 이제 막 감 잡고 있어요.
You will get the hang of it. 요령이 생길 거야.
*get the hang of it 익숙해지다, 감을 잡다, 요령이 생기다
*show someone the ropes 남에게 요령을 가르쳐주다
He is a savvy worker. 그는 일머리(요령)가 있다.
*savvy 지식. 요령이 있는
Who is tech-savvy here? 여기 누가 기계를 잘 다뤄요?

It is a story you could sink your teeth into. 그것은 당신이 열중(몰입)할 수 있는 이야기 입니다.
*sink one's teeth in(to) ~에 열중하다, 몰입하다.

And then it dawned on me. 그리고 나서 깨달았어요.(알게 되었어요)
*dawn 새벽, 분명해지다.
*dawn on someone 이해가 가다, 깨닫게 되다

It doesn't sit well with me 내 맘에 들지 않아, 그건 나랑 안 맞아
*sit well with ~와 잘 어울리다, 받아들여지다

Eat your heart out! 부럽지? 너는 나한테 안돼. 어디 한번 고통에 신음해봐.
등으로 부러움, 그리움, 갈망을 해보라는 의미로 사용됩니다.
After he won the game, he said, "eat your heart out!"
그가 게임에 이긴 후 말했다. "어때 부럽지? 내가 더 낫지?"

Tom is still eating his heart over his divorce. 탐은 아직 그의 이혼에 고통스러워하고 있다.

It would be a lose-lose situation for all concerned.
그것은 관계된 모든 이들이 실패하게 되는 상황이 될 겁니다.
lose-lose 모두가 패자가 되는, 오로지 부정적 결과만 낳는 <-> win-win

We want to know what you can bring to the table.
우리는 당신이 어떤 이익을 가져다 줄 수 있는지 알고 싶습니다.
*bring to the table (가치 있는 것을) 기여하다, 이익을 가져다 주다

Don't worry about it anymore. It's water under the bridge.
더 이상 그 걱정은 하지 마. 다 지난 일이야.
*water under the bridge 다 지난일

Are you expecting me to roll out the red carpet for them?
내가 그들을 환대해주기라도 기대하는 거야?
*roll out the red carpet 환대하다. 크게 환영하다.

Don't bury your head in the sand. (문제를)회피하지 마.
*bury head in the sand 위험 징조/문제를 회피하다, 무시하다

We are trying to dodge a bullet. 우리는 (문제를) 피하려고 노력 중이다.
*bullet 총알
*dodge a bullet 문제를 피해가다(위험을 벗어나다)

I was just trying to run for the hills from the situation.
난 그저 그 상황에서 벗어나려고 애썼을 뿐이에요.
*run for the hills 어디(무언가)에 연관되지 않으려 적극적으로 벗어나는(피하는) 것

You just need to bite the bullet at this moment. 지금은 그저 참아내야 해.
*bite the bullet 참아내다.
It's seems like there's no silver bullet for this. 이 문제는 특별한 묘책이 있어 보이지 않아.

*a silver bullet 묘책. 해결책

Let's rally the troops. 분발합시다.
*rally the troops 분발하다, 촉구하다

I am getting flop sweating. 긴장해서 땀이 나고 있어요.
*flop 긴장해서 흘리는 땀(진땀)

She will go for the gloves and lose in the end. 그녀는 무모한 내기를 할 것이고 결국 질 것이다.
*go for the gloves 무모한 내기를 하다

Can you go the extra mile? 더 노력할 수 있겠어?
Going the extra mile will pay off. 최선을 다하는 것이 결실을 맺을 것이다.
*go the extra mile 한층 더 노력하다

It just fell down on my lap. 별다른 노력없이 얻었어요.
무릎위에 그냥 떨어졌다는 것은 특별한 노력없이 얻다/성취하다의 의미입니다.

You(have) lost the thread, right? 맥락을 놓쳤지? 무슨 말인지 모르겠지? 할 말 까먹었지?
*lose the thread 맥락을 놓치다

It seems like you are hanging by a thread. 당신은 매우 위태로운 듯 보입니다.
*hang by a thread 위태위태한 상황이다, 풍전등화다

The show knocked me off my feet. 그 쇼는 나를 완전히 압도 시켰다.
*knock someone off their feet 놀라게 하다, 압도하다, 즐겁고 설레게 하다

I am trying to play/hold my cards close to my chest.
나는 아무한테도 알리지 않으려고(비밀로 하려고) 노력 중이에요.
*play/hold one's cards to one's chest 비밀로 하다

비밀과 관련된 표현들도 다양한데요, 알아보겠습니다.

Mum's the word. 비밀이야. 너만 알고 있어.
주로 아이들이 쓰는 표현인데요, 어원은 고어인 momme(발설 안 하다)에서 왔다는 설이 맞아 보입니다.
keep it to yourself. 비밀로 해줘.
keep a lid on ~을 억제하다, ~을 단속하다
Keep a lid on what we discussed. 우리가 얘기한 거 비밀 지켜.
Now you can spill the beans. 이제 모든 걸 털어놔 봐.
*spill the beans 비밀을 누설하다
*divulge=reveal 비밀을 누설하다
I guess(see) cat's out of the bag. 비밀이 탄로났네요.
I think Tom let the cat out of the bag. Tom이 비밀을 누설한 것 같아요.
Is this kind of a clandestine meeting? 이거 뭐 비밀회의 같은거에요?
*clandestine 비밀의, 은밀한

You stole my thunder! 너는 내가 받을 관심을 가로챘다고! (내 순간을 방해 했다고!)
*steal someone's thunder ~의 관심을 가로채다

I don't want to step on your toes. 방해 하고 싶지 않아요.
Did I step on your moment? 내가 너 기분 망쳤어? 상황을 방해 했어?
*step on toes 침범하다, 방해하다, 발을 밟다

It can take a toll on your health. 당신의 건강에 피해를 끼칠 수도 있어요.
*take a toll on 손실(피해)를 가져오다

Catch her or she goes Houdini. 그녀를 잡아요 안 그러면 후디니처럼 사라질 거예요.
She is Houdini. 그녀는 탈출의 귀재야.
*Houdini 탈출하는데 선수인 사람/동물
헝가리 출신의 마술사로 탈출(사라지는)하는데 귀재였던 Harry Houdini의 이름에서 유래된 표현입니다.

Why don't we go back to the drawing board? 우리 처음부터 다시 시작하는 게 어때요?
*(go) back to the drawing board 계획을 다시 잡다, 처음부터 다시 시작하다

I have to do the test over. 시험을 다시 봐야해.
*do over 무언가를 다시 시작하다, 새롭게 꾸미다

We followed their rules to a tee. 우리는 그들의 규칙은 정확히 따랐다.
*to a T(tee)정확히, 완전히, 딱 exactly/precisely

Speed skating has been a golden goose.
스피드 스케이팅은 지금까지 황금알을 낳는 거위였다.
*golden goose 황금알을 낳는 거위

Believe me, I am cool as a cucumber. 염려 마세요, 나는 매우 침착한 사람입니다.
*cool as a cucumber 대단히 침착한
You should keep a level head in dangerous situations.
위험한 상황에서도 침착함을 유지해야 한다.
*keep a level head 침착함(냉정함)을 유지하다
You must keep your nerve and stand your ground. 침착함을 유지하고 물러서면 안된다.
*keep one′s nerve 침착함을 유지해야한다(정신줄을 놓지 말아야 한다)
*stand one′s ground 입장을 고수하다, 굴복하지 않다.

She is as hard as nails. 그녀는 피도 눈물도 없다.
*(as) hard as nails 피도 눈물도 없는
I saw something move out of the corner of my eye. 무언가 움직이는 것을 흘깃 보았다.
*out of the corner of one′s eye 곁눈질로, 흘깃 보고, 얼핏 보고

His will take some serious elbow grease. 이 것은 상당히 힘든 노동이 될 거야.
*elbow grease 힘든(육체적)노동/노력

I am tired of rolling the dice. 난 모험하는 거에 지쳤어.
*roll the dice 모험하다, 위험을 감수하다
*dice(=die) 주사위

Don′t even try to fob me off with excuses this time.

이번엔 핑계 대면서 얼렁뚱땅 넘어갈 생각은 하지도 마.
*fob off 얼렁뚱땅 넘어가려 하다
*fob 시계줄, 줄이 달린 시계, 고리에 달린 장식품
*fob가 fresh off the boat의 줄임말로 사용 되는 경우는, 막 이주해온 사람들에 대한 부정적표현(인종 차별적 표현)

Once you have made up your mind, see it through. 한 번 결정했으면 그대로 밀고 나가봐.
*see it through 끝까지 가다(진행하다)

It's not rocket science. 그게 복잡하거나 어려운 일이 아니잖아.
*rocket science 첨단과학, 고도의 지능이 요구되는 일

They brought in new interrogators and gave me the third degree.
그들이 새로운 조사관(심문관)을 데려와서 나를 추궁했다.
*give ~ the third degree 누군가를 추궁하다, 꼬치꼬치 캐묻다
*interrogator 조사관/심문관
Stop grilling me. 그만 좀 캐물어/꼬치꼬치 캐묻지 좀 마.
*grill 굽다, 닦달하다, (꼬치꼬치)캐묻다

The have failed to land with a bang on the Asian market.
그들은 아시아 시장에 성공적으로 안착하는데 실패했다.
*with a bang 멋지게, 성공적으로

Reading and listening go hand in hand. 읽기와 듣기는 서로 밀접하게 연관되어 있다.
*hand in hand 서로 손을 잡고
*go hand in hand 서로 밀접하게 연관된

How does it feel to get a taste of your own medicine?
똑같이 당하는 기분이 어때? 자업자득
*taste of your own medicine 자기가 한 대로 받은 보복, 자업자득

You asked for it! (=You had it coming/You made your bed.)

너가 자초한 거야. 자업자득이야.

That's what I get for cheaping out. 싼 거 찾다가 이렇게 되지.

What goes around comes around. 뿌린 대로 거두는 거야

=You reap what you sow.

*reap 수확하다, 거두다

*sow (씨를)뿌리다, 심다

I can see that. 그래 보여. 그럴 것 같아.

(I) called it! 그럴거라 했지!

I saw that coming. 그럴 줄 알았어.(일이 이렇게 될 줄 알았어)

I didn't see it coming at all. 전혀 예상하지 못 했어.

Thought you might. 그럴 줄 알았어.(당신이 그렇게 할 것 같았다.)

Let me sleep on it. 고민해 볼게(자면서 생각해 보겠다는 의미)

I will mull it over. 좀 더 생각해 볼 게.

*mull 숙고하다, 실패, 혼란, 실패하다

Is Trump mulling martial law?

트럼프 대통령은 계엄령을 숙고하고 있는가?

*martial law 계엄령

an eye for an eye, (a tooth for a tooth). 눈에는 눈(이에는 이)

*eye to eye '의견이 일치하다' 와 혼동주의

*tit for tat 보복, 앙갚음

*get even 대갚음 하다

I will get even with you for this. 내가 이거는 꼭 대갚음을 할 거야.

*retaliation 보복, 앙갚음

*retaliate 보복하다, 앙갚음하다

Retaliation against international workers 외국 노동자들에 대한 보복

Do not retaliate. 복수 하지 마. 앙갚음 하지 마.

*vendetta (두 가문 사이의 오래되는) 피의 복수

비슷한 의미로 feud[fjuːd] 불화, 반목, 앙갚음, 복수

Why is there a feud/vendetta between the Capulets and Montagues in Romeo and Juliet?

로미오와 줄리엣에서 몬태규 가문과 캐퓰렛 가문 사이의 불화는 왜 있는 건가요?
I think he will conduct a personal vendetta against me. 그가 나에게 사적인 복수를 할 것 같아.
*vengeance 복수(=revenge)
*avenge 복수하다

He pushed the envelope to break his record. 그는 그의 기록을 깨기 위해 한계에 도전했다.
*push the envelope "한계에 도전하다, 기존의(허용된) 경계를 넘어서다, 모험을 하다"
여기서 envelope는 '봉투'가 아니라 속력, 고도, 엔진 추력(推力) 등 비행기의 기술적 능력을 규정한 flight envelope에서 유래 했습니다.
You need to put your foot down. 당신은 완강하게 할 필요가 있어요.
*put someone's food down 단호한 입장을 보내다, 중심을 잡고, 완강하게

She just sat there, like a deer caught in the head lights.
그녀는 깜짝 놀라 그 자리에 가만히 앉아 있었다.
*deer/rabbit (caught) in the head lights. 얼어붙다. (깜짝 놀라) 움직이거나 생각도 못하다

My father spun a yarn about the days when he was in Army.
우리 아버지는 그가 군대에 있던 시절 얘기를 장황하게 늘어 놓았습니다.
*spin a yarn 장황하게 이야기하다
*yarn (직물)실, (과장되거나 지어낸)긴 이야기

I don't want to rain on your parade. 산통 깨고 싶지 않아(초 치고 싶지 않아)
I don't want to throw a wrench into your plan.
너의 계획에 초를 치고 싶지 않아. 방해 놓고 싶지 않아.

Blood is thicker than water. 피는 물보다 진하다라는 속담은 한국어에도 있는데요,
'진하다'라는 표현을 thick으로 표현합니다.

She has a real shot at going back to school. 그녀는 학교로 돌아갈 확률이 높다.
*have a real shot at ~에 확률이 높다
What are the odds of that happening again? 그런 일이 다시 일어날 확률이 얼마나 돼!
*odds (어떤 일이 있을 공산), 역경, 배당률

*odd 이상한

You think the odds are in our favor? 우리가 이길 확률이 있다고 생각해?

May the odds be ever in your favor. 당신에게 항상 승리가 있기를.

Nine out of 10 times, she is right. 대부분은 그녀가 다 맞아요.

*9 times out of 10 (=9 out of 10 times)

우리말에도 10중 8,9라는 말이 있는데요, 거의 대부분, 거의 모두 등을 표현 할 때 사용합니다.

Maybe it's a blessing in disguise. 아마 더 잘 된 일일지도 몰라. 전화위복 일거야.

*disguise 변장하다, 변장, 숨기다, 위장하다

It's worth every penny. 쓴 돈이 하나도 아깝지 않아.

<-> It's not worth a penny. 한 푼의 값어치도 없다.(금전적가치)

The paint lasted a long time. we got our money's worth.

페인트칠이 오래 됐어. 우린 본전은 뽑은 거지.

I want to get my money's worth. 난 본전을 뽑고 싶어요.

돈의 가치를 찾고 싶다는 뜻이니 본전을 뽑다 의미로 사용합니다.

*worth는 금전적 가치 외에 다른 표현들도 알아 보겠습니다.

He is worth a billion dollars. 그는 10억달러의 재산가이다.

This movie is worth watching. 이 영화는 볼 가치가 있어요.

His devotion is worthy of praise. 그의 헌신은 칭찬받을 만하다.

Your suggestion is worthy of consideration. 당신의 제안은 고려해 볼 가치가 있습니다.

I don't care a hill of beans. 나에게는 전혀 중요하지 않아요.

*hill of beans 쓸모 없는 것, 아무런 가치도 없는 것

That doesn't amount to a hill of beans. 그것은 아무런 가치도 없어요.

여기서 amount는 명사형이 아닌 amount to(~에 이르다, 달하다)의 문장입니다.

I wasn't born with a silver spoon. 난 금수저로 태어나지 않았어.

*silver spoon 은수저, 상속받은 부

우리나라에서는 금수저로 표현하는데요, 영어에서는 은수저로 표현합니다.

He stole the money and made a break for it. 그는 돈을 훔치고 탈주를 시도했다.

*make a break for it 도망가다, 탈주하다

He brings out the best in people. 사람들로 하여금 최고의 능력을 발휘하게 한다
He spoke so highly of her. 그녀 칭찬을 많이 하더라

Why should you pay through the nose? 당신은 왜 바가지를 써야만 하나요?
*pay through the nose 비싼 값을 치르다
It costs an arm and a leg. 그것은 엄청난 돈(비용)이 든다.
She is at home in French 그녀는 불어에 능통하다.

It all boils down to this. 핵심은 이거다. 이걸로 귀결된다

I am probably your best bet. 아마 내가 너의 최선의 선택일걸.

It's a gray area but will he soon be better? 애매하지만, 그의 건강이 곧 회복될까요?
*gray/grey area 애매한 상황(영역)

I went out on a limb for you. 널 위해 위험을 감수했다

Citigroup has a huge presence in this market. 시티그룹은 이 시장에서 영향력(존재감)이 크다.
She is a force to be reckoned with in that field. 그녀는 그 분야에서 무시할 수 없는(영향력이 큰) 존재이다.
*force to be reckoned with 영향력(존재감)이 큰 사람
*reckon 생각하다, 여겨지다

Operation Golden Eagel is a go! 골든이글 작전개시!
*~is a go! ~개시!

He will fight tooth and nail to keep his privilege.
그는 그의 특권을 지키기 위해서 필사적으로 싸울 것이다.
*fight tooth and nail 이를 악물고 필사적으로 싸우다

I have a tendency to bite off more than I chew.
난 내가 감당할 수 없는 욕심을 내는 경향이 있다.
*bite off 베어 물다

Were you just full of it? 그냥 허풍이었어? 거짓말이었어?
You thought I was just crying wolf? 내가 그냥 거짓 경고를 한 거 같아요?
*crying wolf 거짓경고(하기)

We are giving away free pants, no strings attached!
아무 조건 없이 바지를 무료로 드립니다!
*no strings attached. 아무 조건 없이

I pulled some strings 내 인맥 좀 썼어.
*string 끈, 줄, 줄로 묶다

Did I go a little overboard? 내가 좀 (의욕이 앞서) 과했나요?
*overboard 배 밖으로, 물속으로 *go overboard 잔뜩 열광하다, 흥분하다
흥분에서 배밖으로 나와 물속에 빠지는 장면을 상상해 보면 감이 옵니다. 흥분했다, 의욕이 앞서서 과했다 라는 표현입니다.
She always shows a can-do attitude. 그녀는 매사에 의욕적이야

He is just swinging for the fence(s) with this contract.
*swing for the fence (야구에서 홈런을 치기 위해 하 듯) 가진 최대의 노력을 하다. 한방을 노리다 의미도 있음

Don't split hairs. 너무 세세하게 신경 쓰지 말아요.
*split hairs 시시콜콜 따지다. 하나하나 따지다.

I am breaking in my new shoes. 새신발을 길들이고 있어요.
*break in (건물 등에)침입하다, break somebody/something in 길들이다

It is touch and go whether we will make it. 우리가 성공할지 아슬아슬 하다.

*touch and go 가까스로 성공하다, 살짝 스치며 나아가다, 가볍게 언급하고 넘어가다, (연료보급 등을 위해) 단시간 착륙하다
It seems we've passed by the skin of our teeth. 우리가 가까스로 패스한 거 같아
*by the skin of teeth 가까스로, 간신히

You hit the nail on the head there. 거기서 정곡을 찔렀네요.
*hit the nail (right) on the head 정곡을 찌르다
*hit home 정곡(급소)을 찌르다, 가슴에 와 닿다
Her words hit home. 그녀의 말이 정곡을 찔렀다.

She will walk you through the recipe. 그녀가 레시피를 자세히 알려줄 거야.
*walk someone through 차근차근 자세히 알려주다.

Do you happen to know any good doctor?? 너 혹시 좋은 의사 알고 있어?
happen to 혹시(=by any chance)
Do you happen to know her? 혹시 그녀를 아니?
=Do you know her by any chance?

He is such a know-it-all. 그는 잘난 척을 하다, 모든 걸 다 아는 듯한다.

Let's address the elephant in the room. 껄끄러운 문제에 대해 얘기해봅시다
*(the) elephant in the room 껄끄러운 문제.

We just turned the corner. 우리는 이제 막 고비를 넘었어요.
*turn the corner 고비를 넘기다
*be over the hump 고비를 넘긴
*hump 툭 솟아오른 곳, 낙타의 혹
*hump day 수요일
I am not out of the woods yet. 난 아직 고비를 넘긴 게 아니다.
*out of woods 위기에서 벗어나다.

He is putting out feelers. 그는 그냥 한번 떠 본거야. 반응을 본거야

*feeler 곤충의 더듬이, 촉수
촉수를 펼쳐(내밀어)본다는 것은 간을 본다의 의미로 해석됩니다.
*비슷한 표현으로 fill somebody out을 앞서 소개한 바 있습니다.

He is no spring chicken anymore. 그는 더이상 풋내기가 아니다.
*spring chicken 햇병아리, 영계, 풋내기

Your son is in good hands with Monica. 당신의 아들은 모니카와 있으니 안심해.
*in good hands with ~(믿을 만한 사람에게 맡겨져서) 안심이다, 잘 보살펴 줄거다
You can rest assured. 안심 해도 돼.

He had been up all night looking for any measure that might help them out and he had drawn a blank.
그는 그들에게 도움이 될 수 있는 어떤 조치라도 찾기 위해 밤새 깨어 있었지만 아무것도 얻을 수 없었다.
Even though I studied for hours, I drew a blank during the exam.
수 시간을 공부했지만, 시험에서 아무것도 기억이 나지 않았다.
*draw a blank 기억이 나지 않는다, 아무것도 얻지 못하다

Your face rings a bell.(=seems familiar) 얼굴이 낯이 익네요.
*ring a bell 들어본 적이 있다, 낯이 익다
(It) doesn´t ring a bell. 들어본 적 없다.
Her name is a nice ring to it. 그녀이름은 귀에 착 꽂힌다. 듣기 좋다.
It will come to me. 곧 떠오를 거예요.

He knows the system inside out. 그는 시스템을 훤히 알고 있다.
*inside out '안팎을 뒤집어'의 의미는 속속들이 알고있다는 뜻

You are making my toes curl. 나를 흥분 시키고 있어.
I couldn´t make your toes curl. 널 흥분 시킬 수 가 없었어.
That story makes my toes curl. 그 얘기는 날 당혹 시켜.
*make toes curl 흥분 시키다. 매우 당황하게 하다. 오글거리게 하다

Thanks for standing up for me back there. 아까 편 들어줘서 고맙습니다
You stood up for me. Thanks. 넌 나의 편을 들어줬구나. 고마워.
*stand up for ~지지하다, 옹호하다
The train was packed like sardines in this morning.
오늘 아침 지하철은 사람들로 꽉 차 있었어요.
*packed like sardines(정어리) 정어리 팩처럼 꽉 들어찬 상황에 사용하는 표현

Cut him some slack. 너무 몰아 붙이지 마. 여유를 좀 줘.
*slack 느슨한, 한산한, (밧줄 등의)처진 부분
He′s been very slack in his work lately. 그는 최근 자기일에 매우 해이해졌다.
I′ve been slacking off. 난 게을러 터졌어.
If you slack off here, people die. 너가 여기서 농땡이치면 사람들이 죽어
Somebody had to pick up your slack. 누군가 당신 일을 대신해야 했어요.
*pick up the slack 남의 일(남의 몫까지)을 대신하다, 미룬 일을 처리하다
I′ve become a little bit complacent. 난 좀 안일해 졌어.
*complacent 현실에 안주하는, 자기 만족적인

An apology could take the edge off. 사과하면 좀 누그러트릴 수 있어.
*take the edge off 약화시키다(=undercut/undermine), 완화시키다, 안정시키다, 무디게 하다
This stone might take the edge off the knife. 이 돌이 칼날을 무디게 할 수도 있어.
This is a product of cutting-edge technology.
이것은 첨단기술의 생산물이다.
*cutting edge 최첨단, 활력소
*state of the art 최첨단의, 최신식의
The system is state of the art. 그 시스템은 최첨단이다.

When the dust settled, he had won the election. 상황이 좀 진정되면서 그는 선거에서 승리했다.
*when the dust settles 상황이 진정되면

You are the talk of the town. 넌 장안의 화제야
She is a piece of work. 그 여자 가관이네.
*piece of work 골치 아픈 사람, 진상인 사람 등을 표현합니다.

He is the bee's knees. 그는 정말 멋져요.
*bee's Knees 최고로 멋진(cool)/칵테일 이름 중 하나이기도 합니다.
You are the cat's pajamas. 당신은 정말 뛰어나군요(멋져요)
*cat's pajamas 어떤 일에 뛰어난, 멋진
Rumor has it that he won the lottery. 그가 복권에 당첨되었다는 소문이 있던데.
*rumor has it (that) ~라는 소문이 있던데.
The secret I told one person went quickly from pillar to post.
내가 한 사람에게 했던 비밀이 금방 여기저기 퍼졌다.
*from pillar to post (사람, 소문 등이) 여기 저기 떠돌다, 정처없이 떠돌다.

I have been cooped up. 난 쳐 박혀 있었어.(집콕했어)
*coop 닭장, 우리
I have been feeling cooped up. 갇혀 있는 기분이었거든.

That sounds like a backhanded compliment. 비꼬는 칭찬처럼 들리는데.
*a backhanded compliment 모욕적으로 들릴 수도 있는 칭찬

I went/fell down the rabbit hole of watching all the videos up on the Instagram.
나는 인스타그램에 올라오는 모든 비디오영상들을 보는데 빠져 버렸어.
*rabbit hole 여기 나오는 '토끼굴'은 '이상한 나라의 앨리스'에서 앨리스가 토끼굴에 빠지면서 이상하고 상황에 처해지게 되는데요, 쉽게 빠져나오지 못하고 늪에 빠진 듯한 상황이 생겼을 때 사용합니다.

I can't bring myself to leave her. 그녀를 떠나지는 못하겠어.
I can't bring myself to eat it. 그걸 먹지는 못하겠어.
*can't bring oneself to 엄두가 안나다, 내키지 않다

He lives on a shoestring. 그는 경제적으로 어렵게(아끼면서) 살아.
I bought it on a shoestring. 적은 예산으로 샀어.
*shoestring(=shoelace) 돈이 아주 적게 드는

stack the deck/card! 부정한 방법을 써!

*stack 쌓다
*deck (포커 등 할 때의) 카드 팩
*a deck of cards 카드 한 벌
자기가 유리할 수 있도록 부정한 방법으로 카드를 쌓으라는 데서 유래하였다고 합니다.
Am I stacking the deck against you? 내가 너한테 부정한 방법을 쓴다고?
It's a stacked deck! 다 짜고 치는 고스톱이야!

My stomping ground is Gangnam. 내 주활동구역은 강남이야.
*stomp 쿵쿵거리며 걷다, 발 구르며 춤을 추다
내가 쿵쿵거리면서 걷는 곳, 의역하면 내가 주로 편하게 움직이는 장소를 얘기합니다. 주로 활동하는 장소의 의미로 사용합니다.
I don't like airing my dirty laundry in public. 공공장소에서 내 치부를 드러내고 싶지 않아요.
*air dirty laundry(속어) 갈등이나 문제를 드러내다

It can be a slippery slope. 상황이 악화될 수 있다. 걷잡을 수 없게 될 수 있다.
*slippery slope 미끄러운 비탈, 위험한 상황
*get out of hand/control 손길을 벗어나다, 걷잡을 수 없다. 감당할 수 없다.
It is getting out of hand. 일이 걷잡을 수 없게 되어가요.
Things got out of my hand. 일들이 내가 감당할 수 없게 되어 버렸어.

We are getting down to the wire. 마감시한이 다가오고 있어.
*down to the wire 최후까지, 마지막까지

She played fast and loose with him. 그녀는 그를 아무렇게나 대했다.
*play fast and loose (with) 아무렇게나/마음대로 다루다
She walks all over me. 그녀가 나를 함부로 대해. 얕잡아봐.
*walk (all) over somebody 함부로 대하다, 쉽게 이기다
Don't walk all over us. 우릴 너무 얕잡아 보지 마세요.

I was ghosted by her. 그녀가 나에게 갑자기 연락을 끊었어. 잠수탔어.
*ghost 잠수타다

Don't go on a wild goose chase. 헛된 일 하지 말아요.

*wild goose chase 헛된 수고(야생 기러기를 쫓는 건 헛되기 때문)

I will have whatever floats your boat. 난 뭐든 너가 좋아하는 걸로 할게.(먹을게)

*whatever floats one's boat 무엇이든 ~가 좋아하는 것

I don't get any credit for this. 이걸로 공로를 전혀 인정 받지 못한다.

She is trying to take credit for the work she never helped with.

전혀 도와주지 않았으면서 그녀는 생색을 내려한다.(공로를 인정 받으려 한다)

Give yourself some credit. 넌 잘하고 있어.(잘하고 있으니 스스로에게 점수를 좀 주라는 의미)

*credit 신용, 학점, 신용거래

She has friends from all walks of life. 그녀는 각계각층에 친구들이 있다.

*all walks of life 각계각층

The company's profits increased by(in) leaps and bounds.

회사 수익이 급속히 늘었다.

Our garden in growing by(in) leaps and bounds. 우리 정원은 쑥쑥 자라고 있다.

*leaps and bounds 급속히, 대폭, 척척, 제대로

*leap 높이, 멀리 뛰다, 뛰어오르다, 뛰기. 급증

*giant leap 대약진

*leap year 윤년

My heart leapt. 내 심장이 뛰었다.

*leapt[lépt,lí:pt] leap의 과거.과거분사

Take what she says with a grain of salt. 그녀말은 걸러서 들어.(귀 담아 듣지 마)

Don't kick the bucket yet.

'아직 죽지 마' 라는 표현인데요, kick the bucket은 오래 전 서양에서 죄수 등을 버킷 위에 목메달아 놓고 발로 버킷을 차서 죽게 만드는 데서 유래 되었습니다.

I will get my ducks in a row. 만반의 준비를 하겠다, 정리를 하겠다.

오리들을 줄 맞춰 세우겠다는 표현은 어떤 일을 잘 준비하겠다. 정리를 하겠다의 의미입니다.

Have you ever been in hot water with her fan club?
그녀의 팬클럽과 문제가 있었던 적이 있나요?
*in hot water(=in trouble)
Keep your nose clean. 문제를 일으키지 마라, 문제될 일은 피해라.
(=Stay out of trouble/Don't ask for trouble/Don't rock the boat.)
*rock 암석, 암초, 흔들다, 흔들리다

Let me take the heat. 내가 비난을 감수할 게(뒤집어 쓸게/책임질 게)
Ok, I will face the music. 좋아 내가 비난을 받을 게.
*face the music 책임을 지다. 비난을 감수하다
I can't let them take the fall for me. 그들이 나때문에 뒤집어쓰게 할 순 없어.
*take the fall 잘못을 뒤집어 쓰다, 일부러 져주다

He is a real eager/busy beaver. 그는 진정한 일(공부)벌레야.
*beaver away (at) 부지런히 일하다
비버라는 동물이 굉장히 부지런한 데서 온 표현인 듯합니다.
He's been beavering away at the accounts all morning.
그는 오전 내내 회계 일을 부지런히 하고 있다.
He is a workhorse in my company. 그는 우리 회사에서 아주 열심히 일한다.
*workhorse 열심히 일하는 사람/기계
*workaholic 일 중독자, 일벌레
I am religious about doing my homework. 나는 내 숙제를 성실히 한다.
*religious about -성실하게 하는
*religious 종교의, 독실한, 신앙심이 깊은

I think I am in over my head. 감당하기 어려워. 버거워.
You went over my head. (너가 한말) 이해를 못 하겠다.
I don't get it. 이해가 안 간다
I can't even start to fathom it. 도저히 이해가 안 가네요
*fathom 헤아리다 가늠하다
I can't wrap/get my head around it. 도저히 이해가 안 간다.

I have a roof over my head. 난 살 거처가 있어요.

머리위에 지붕이 있다는 말은 살 거처가 있다는 의미로 사용

Oh~ now you have a roof on your head, huh?

그래, 이제 좀 여유가 생겼다 그거지?

I just don't have the bandwidth. 저는 여력이 없어요.

*bandwidth (주파수 등의)대역폭, 여유(여력)

(It's like) apples and oranges. 비교불가야.

서로 종류가 달라서 비교할 수 없거나 하지 않을 때 사용합니다.

Comparing these cars is like comparing apples and oranges.

이 자동차들은 비교불가야.

They are brothers but they are chalk and cheese. 그들은 형제지만 전혀 딴판이다.

*chalk and cheese (사람, 사물)이 서로 많이 다른 것, 서로 다른 두가지/사람

You are just humoring me. 내 비위 맞추고 있구나.

*humor 유머, 해학, 어르다, 비위 맞추다

I used to be a mom pleaser. 난 엄마 비위만 맞추는 사람이었어.

Stop being a people pleaser! 사람들 기분 맞추는 건 그만 해~

She keeps buttering up the manager. 그녀는 매니저에게 계속 아부를 떤다.

*butter up 아부하다, 비위 맞추다(=brown nose/polish the apple)

She is trying to brown-nose him. 그녀는 그에게 아부를 떨고 있다.

She polished the apple to please her boss. 그녀는 그녀 보스를 기쁘게 하려고 아첨했다.

Are you trying to flatter me? 너 나한테 아첨하는 거야?

I am flattered 과찬입니다.

*flatter 돋보이게 하다. 알랑거리다

She has a well-oiled tongue. 그녀는 아첨을 잘한다/능변이다.

*well-oiled tongue 언변에 능하다, 아첨을 잘 하다

*gift of (the) gab 언변, 말솜씨 (경멸적)수다쟁이

=gift of tongues/golden tongue

She has a gift of the gab. 그녀는 언변이 좋다.

I think he just tried to do a snow job on me.
나는 그가 나를 감언이설로 속이려고 했던 거 같아.
*snow job 감언이설, 사탕발림
Are you taking me for a ride now? 너 나를 지금 속이려고(이용하려고) 하는 거야?
*take someone for a ride 속이다, 이용하다, 바가지를 씌우다
I think you are pulling a fast one. 너가 나를 속이고 있는 거 같은데.
*pull a fast one 속이다, 기만하다
My best friend shafted me. 내 가장 친한 친구가 날 속였어.
*shaft (골프채 등의)긴 손잡이, ~를 부당하게 대우하다(속이다)
I was disgusted with his monkey business. 나는 그의 협잡질에 염증을 느꼈다.
No monkey business!! 어리석은 짓(부정한 짓)하지 마!
*monkey business 바보 같은 짓, 정직하지 않은 행위, 협잡

Every cloud has a silver lining. 안 좋은 상황에도 좋은 일이 있게 마련이다.
모든 구름은 희망의 빛을 가지고 있다? 안 좋은 상황이 모두 안 좋은 결과로 가지는 않는다는 표현을 할 때 쓸 수 있는 표현입니다.
*silver lining 희망의 빛

The books sell like hot cakes. 그 책은 불티나게 팔린다.
*sell like a hot cake/sell like hot cakes 불티나게 팔리다
There's a lot of eye candy in here. 여긴 눈요기거리가 많지요.
*eye candy 눈으로 보기에 좋은 사람/물건

I just wanted to clear the air 오해를 풀었음 했지.

You got/have an attitude 넌 참 시건방져. 예의가 없어.
*attitude 태도, 자세, (반항적인, 고집스런)태도

You are a day late and a dollar short. 넌 정말 준비가 안된 사람이야.
'a day late 하루가 늦고, a dollar short 1달러가 부족한'의 뜻이니, 정말 준비 되어있지 못한 사람을 뜻하는 말이 됩니다.

He never has a hair out of place. 그는 항상 한치의 흐트러짐이 없다.
His daughter was made up with not a hair out of place. 그의 딸은 한치의 흐트러짐 없이 화장을 했다.
*hair out of place 한치의 흐트러짐 없는
Let's find a middle ground. 서로 맞춰가 보자구요.
*middle ground는 가운데 땅이라는 뜻이 아니고 타협안, 절충안이라는 단어입니다. 단어를 알면 쉽게 이해할 수 있는 표현입니다.
Meet me halfway. 양보해줘. 타협하자.
Don't sell yourself short. 널 너무 과소평가하지 마.
You are selling yourself short. 당신 스스로를 과소평가하고 있어요.
I can't put my finger on it. 뭐라 콕 짚어 말할 수 없어.
=I can't define it precisely.

I can't (quite) put my finger on you. 당신을 도저히 모르겠습니다.

The devil is in the details. 세부사항이 중요해요.
(사소하거나 작은 부분에 중요한 것들이 숨어있을 수 있다는 의미)
Speak of the devil. 호랑이도 제 말하면 온다더니.
Give the devil his due. 인정해 줄 건 인정해 줘야지.(마음에 들지 않는 사람이라도 좋은 행동은 인정해 줘야 한다는 의미)
You are opening up a can of worm. 넌 지금 골치 아픈 일을 건드리고 있어.
*a can of worms 골치 아픈 일
Don't poke the bear. 일부러 자극하지 마.
(부정적 반응을 일으킬 수 있는 자극을 하지말라는 경고)
She would say let sleeping dogs lie. 그녀는 문제를 건드리지 말자고 할 것 같네요.
*let sleeping dogs lie 문제를 건드리지 않다.

You are off the hook 넌 책임질 필요 없어.
hook(고리)에서 빼 주겠다는 말은 곤경(처벌)등에서 면하게 해준다는 의미입니다.
*off the hook 다른 의미 -> 전화를 받지 않으려고 수화기를 내려놓다

I have bigger fish to fry. 더 중요한 일이있어.

I need to wrack my brain. 머리를 쥐어짜야겠어
*wrack one's brain 머리를 쥐어짜다(무언가 해결하기위해)
*wrack 고문하다

You are getting on my nerves 거슬리네. 신경 쓰이게 하네
*nerve racking/wracking 신경을 건드리는. 불쾌한
*rack 괴롭히다, 뒤틀어지게 하다, 고문대(형벌대), 받침대(선반)

You shouldn't jump the gun. 성급하게 행동해선 안돼.
*jump the gun 섣불리 행동하다

They have a good eye. 그들은 좋은 안목을 가졌다

Here's my two cents. We shouldn't eat it. 내 의견인데, 우린 그걸 먹으면 안돼.
*my two cents 내 생각에, 내 의견

Good riddance! 속이 다 시원하네. 후련하다 (귀찮은 일, 사람 등이 없어져서)
*rid 없애다

Talk to a brick wall. 소 귀에 경읽기 (말이 안 통하다)

You are on fire. 제대로 탄력 받았네. 폼 미쳤다. 불붙었네

I got it from the horse's mouth. 확실한 정보통으로부터 들었습니다.
(straight) from the horse's mouth 확실한 정보통에 따르면, 믿을 만한 소식통에 따르면/당사자로부터 직접들은(=from an original source)
*말의 입을 벌려 이빨을 직접 보고 상태를 확인했다는 유래
*Don't look a gift horse in the mouth. 남의 호의/선물에 트집을 잡지 마세요.
Don't flog/beat a dead horse. 헛수고 하지 마. (소용 없는 일이야)
*flog 태형을 내리다. 매(채찍)으로 때리다.
Don't put the cart before the horse. (일의)순서를 바꾸지 마세요.
It's like putting the cart before the horse. 그건 일을 거꾸로 하는 거예요.(앞 뒤 순서가 바뀐

겁니다)
I feel out of place.(=I feel like a fish out of water.)
나는 자리에 맞지 않다고(어색함을) 느껴.
I feel like a fish out of water. 난 좀 불편해, 어색해
*like a fish out of water 어색한. 불편한
She took it like a fish to water. 그녀는 그것을 수월하게(손쉽게) 얻었다.
*take something like a fish to water 수월하게 얻다

My manager told me to fish or cut bait. 매니저가 나에게 거취를 분명히 하라고 했다.
Stop wasting time. Fish or cut bait!! 시간 그만 낭비하고 정해!
Fish or cut bait. 태도를 분명히 하다, 어느 쪽인지 정하다
*bait [beɪt] 미끼, 미끼를 놓다

Let's call it a day 자 오늘은 여기까지(하던 일을. 일과를)(=Let's wrap it up)
It's a wrap! 다 끝났다!
(!)call it a night 이제 그만하자(자러가기 위해)

This is up for grabs. 누구에게나 기회가 있다(열려 있다)
기회와 관련된 다양한 표현 들을 알아보겠습니다.
You've already got a foot in the door. 넌 이미 기회를 잡은 거야.
This will get your foot in the door. 너에게 좋은 기회(경험)이 될 거야.
*Ship has sailed 기회를 놓쳤다, 배 떠났다(=miss the boat)
I never stood a chance. 기회가 전혀 없었어.
miss out (좋은 기회)를 놓치다, 실패하다, ~빠뜨리다
Look, what you are missing out on! 너가 뭘 놓치고 있는지 봐 봐.
I would have missed out on everything. 난 모든 것을 놓쳤을 거야.
I missed out on the free event. 무료 이벤트를 놓쳤어.
*I miss the bus. 버스를 놓치다(이익이 있는 무언가 아닐 경우 miss)
I missed it by a hair. 간발의 차로 놓쳤다
*by a hair 간발의 차로
How can I get on top of all this work? 내가 이 일을 어떻게 감당(통제)하지?
*be/get on top of~ 처리할 수 있다, 통제 할 수 있다.

I think you are not in the position to call the shots on her problems.
당신이 그녀의 문제들에 대해 지휘(통제)할 위치는 아닌 것 같은데요.
*call the shots 지휘/통제/감독 하다
She could wrap him around her finger. 그녀는 그를 통제할 수 있다.
You've got him wrapped around your finger. 그는 너에게 완전히 넘어갔어.
*wrap ~ around finger 완전히 통제하다.

All hat (and) no cattle. 가축(소떼)도 없는데 모자만 쓰는, 비슷한 표현으로 all sizzle (and) no steak(지글지글 소리만 나고 스테이크는 없는)의 의미는 "말 만 많고 일은 안 하다, 빈수레가 요란하다, 실속이 없다."의미로 사용됩니다.

We decided to move the needle to the next topic. 우리는 다음 주제로 상황을 바꾸기로 했다
*move the needle 눈에 띌 정도로 바꾸다. 변화를 주다

We had a pity party over a drink. 우리는 술을 한잔 하며 신세한탄 하는 시간을 가졌다.
*pity party (여럿이 모여)신세를 한탄하는 시간

I am used to living out of a suitcase. 나는 떠돌이 생활이 익숙하다.
*live out of a suitcase 늘 여행하다, 떠돌이 생활을 하다
The exam went down in flames. 시험은 완전 폭망했어.
*go down in flames 완전히 망하다/망가지다, 실패하다
*flame 불길, 활활 타오르다
If you fail the test, you are toast!! 시험에 떨어지면 넌 완전 망하는 거야!

Everything he did might go down the drain. 그가 한 모든 것이 수포로 돌아갈 수도 있다.
*go down the drain 헛수고가 되다, 수포로 돌아가다, 못쓰게 되다
I was taking a trip down a memory lane. 난 옛 추억들 되새기고 있었다.
*trip/walk down a memory lane 추억을 되새기다

I just forgot the relationship is a two-way street.
관계라는 게 쌍방향(양방향관계)이라는걸 깜빡했네요.
*two-way street 상호적 관계

I am between a rock and a hard space as I have to choose between my career and my relationship.
내가 일과 관계 중에 하나를 골라야 해서 이러지도 저러지도 못하는 상황이다.
*between a rock and a hard place 이러지도 저러지도 못하는 상황, 진퇴양난
*It's a catch 22 진퇴양난이다. 이러지도 저러지도 못해

My son and daughter had a fun day at the amusement park, and the safari was the cherry on top.
우리 애들은 놀이공원에서 즐거운 하루를 보냈고, 사파리투어는 최고의 마무리였지.
*the cherry on top 금상첨화(반대로 안 좋은 것에도 가능; 더최악은)

Use your noodle. 머리를 써
*여기서 noodle은 head/brain을 의미합니다.
You should start using your noodle not your heart.
넌 가슴이 아닌 머리를 쓰기 시작해야 돼.

He is now on the wagon. 그 사람 술 끊었어요.
* be/go on the wagon 술을 끊은, 술을 마시지 않는
*fall off the wagon 다시 술을 마시다.(금주를 어기고)
She fell off the wagon last week. 그녀는 지난주에 다시 술을 마시기 시작했어요.
They are just trying to jump on the band wagon. 그들은 단지 시류에 편승하려는 겁니다.
*jump on the band wagon 시류에 편승하다. 우세한편에 붙다
He can let you ride his coattails. 그는 당신을 그의 성공에 편승하게 해줄 수 있어요.
*ride (on) someone's coattails 누군가의 성공에 편승해 이익을 얻다, 빌붙다
*piggyback on something ~에 편승하다. 업혀가다
*piggyback 업기, 목말 타기, 어부바
My son always asks for a piggyback. 내 아들은 늘 업어 달라고 한다.

Where were you last night? I was worried sick about you.
어제 밤에 어디 있었어? 엄청 걱정했어.
*be worried sick 엄청(많이)걱정하다.

I am (riding) on the struggle bus. 난 지금 어려운 상황이에요.
=I am driving the struggle bus.

*struggle bus (고군분투하는)어려운 상황
I am young at heart. 마음은 젊어(마음만은 청춘)

By joining the marketing team, I could get the best of both worlds.
마케팅 부서로 옮기게 되면서 두 마리 토끼를 다 잡을 수 있었어요(일거양득이었어요.)
*best of both worlds 일거양득

Having failed the test, he was once bitten twice shy about trying it again.
테스트에 떨어지고 나서 그는 다시 시도하는 것에 조심스러워 했다.
*once bitten twice shy 어떤 일을 경험하고 나서 소심해(조심스러워)지다

I was today years old when I found out(realized, learned) she is not a student.
난 그녀가 학생이 아닌 걸 오늘 처음 알았어.
*was today years old when ~을 오늘 처음 알게 되다.
That′s when I found out she is not a student. 그녀가 학생이 아닌 걸 그때 알았어

I took matters into my own hands. 내가 직접 나서서 일을 처리했다.
We have no choice but to take matters into our own hands.
선택의 여지없이 우리가 직접 나서서 처리해야 합니다.
*take matters into one′s own hands (다른 사람이 못하는 일을) 직접 나서서 처리하다.

Thinking about my stupid decision, I screamed into the pillow.
내 멍청한 결정을 생각하면서 이불킥을 했다.
*scream 비명을 지르다, 소리치다, 재미있는(익살스러운)
She is a scream. 그녀는 재미있는 사람이다.

After the business went bankrupt, he picked up the pieces and started again.
사업이 파산하고 나서 그는 상황을 추스르고 다시 시작했다.
*pick up the pieces 수습하다, 추스르다

He is a real stick in the mud.
그는 정말 고루해 빠진 사람이야. (새로운 것을 시도조차 해보려 하지 않는 사람)/우둔한

사람/보수적인 사람
*stick in the mud 진창에 빠지다, 꼼짝 못하게 되다.
You live in the moment. 좀더 현재를 즐겨.
*live in the moment 현재를 즐기다/현재에 충실하다

He is always trying to rub shoulders with celebrities.
그는 항상 유명인들과 사귀려고 애쓴다.
*rub shoulders with ~와 어깨를 나란히 하다(특히 유명인, 고위층들과 가까이 지내다)

Are you going to get in my face again? 나를 또 성가시게(화나게) 할 건 가요?
Get in someone's face 직설적이고 공격적으로 행동해서 남을 화나게/성가시게 하다

Stop pestering me. 성가시게 하지 마, 들들 볶지 마
=Stop badgering me.
*pestering 성가시게 하는
*pester 성가시게 하다
She's goading him. 그녀가 그를 못 살게 굴고 있다.
*goad 못살게 굴다, 들들 볶다, 자극,(가축을 몰 때 쓰는)막대기
He just rubbed me the wrong way. 그는 그저 나를 성가시게(거슬리게) 한거예요.
I'll get out of your hair. 귀찮게 안 할 게. 방해 안하고 갈게
귀찮게, 신경 쓰이게 하는 무언가에서 나가라는 뜻으로,
Will you get out of my hair? I need to sleep now!
귀찮게 하지 말아 줄래? 난 지금 잠을 자야 한다고!처럼 사용할 수 있습니다.
Will you get off my back? 귀찮게 하지 말아줄래? 그만 좀 성가시게 할래?
Stop bugging me. 귀찮게 하지 마, 괴롭히지 마.

You can talk the talk but can you walk the walk?
말은 할 수 있겠지. 행동으로 보여줄 수 있어?
*walk the walk 행동으로 보여주다
말은 쉽지 라는 표현은 여러가지가 있습니다.
Easier said than done.
Easy for you to say.

Talk is cheap.

Put your money where your mouth is. 말 만 하지 말고 행동으로 보여줘.

You have to nip it in the bud. 그 문제는 미연에 방지해야 해.(애초에 싹을 잘라야 해)

*nip 할퀴고 가다, 꼬집다

*bud 싹. 꽃봉오리

He let me doctor up the data. 그가 나에게 자료를 조작하라고 시켰다.

*doctor up (속일 작정으로) 조작하다. 꾸미다

She has been putting a thumb on the scale. 그녀가 불공정하게 영향력을 행하여 왔다.

*put a thumb on the scale (상황을 불공정하게)조작하다, (어느 한편에 유리하게)영향력을 주다

I passed the test without breaking a sweat. 난 가뿐히 테스트에 통과했어요.

*without breaking a sweat 땀 한방울 안 흘리고, 가뿐히

He is winning hands down. 그가 (노력없이)쉽게 이기고 있어.

*hands down 명백하게(두말할 것 없이), 확실히, 쉽게

This is his best score, hands down. 이게 그의 최고 기록이야. 명백히.

단연코, 명백히 라는 의미로서는 *bar none과 유사한 표현 입니다.

I will get around to it. 나중에 (짬을 내서/시간을 내서) 할게요.

*get round/around to ~할 시간(짬)을 내다

I never got around to reading that book. 나는 그 책을 미처 읽어 보지 못했다.

It's very dog eat dog here. It's sink or swim.

이 곳은 경쟁이 매우 치열해요. 죽기 아니면 살기지요.

*dog eat dog 서로 잡아먹고 잡아 먹히는 상황

*sink or swim 죽든 살든(망하느냐 사느냐)의 처지

Let's get the show on the road. 자 이제 일을 시작해 봅시다.

*get the show on the road (계획/활동/여정 등)을 시작하다.

I've got a bone to pick with you. 너한테 따질 게 있어. 너랑 할 얘기가 좀 있어.

Could I have a word with you? 잠깐 얘기 좀 할 수 있을까?
I have a beef with you. 너한테 불만이 있어.

I am not going to mince words. 돌려 말하지 않을게.
*mince words 돌려 말하다, 완곡하게 말하다
Stop beating around the bush. 말 빙빙 돌리지 말고 본론을 얘기해.
Just cut to the chase. 본론부터 말해
Let's get into the nitty gritty. 핵심으로 들어가자.
Don't sugarcoat it. 꾸미지 말고 있는 대로 얘기해
I think I need to cushion the blow. 돌려 말하는 게 좋겠다.
*cushion the blow 충격을 완화하다.

He caught lightning in a bottle with the success of his very first book.
그는 첫번째 책의 성공으로 불가능한 일을 이루어 냈다.
*catch/capture lightning in a bottle 불가능한 일을 이루다

I get weak at(in) the knees every time I see him. He is so sexy.
난 그 남자를 볼 때 마다 다리에 힘이 풀려. 너무 섹시하거든.
*weak at(in) the knees 다리에 힘이 풀리다

She is the cold fish. 그녀는 쌀쌀맞은 여자다.
*cold fish 냉담한 사람
He may seem like a cold fish but he is not. 그는 냉담해 보일수도 있으나 그렇지 않다.

I will plead the Fifth. 묵비권을 행사하겠습니다.
*plead 답변하다
*the fifth amendment 미국헌법에서 개인의 권리와 자유를 보호하는 조항

He will knock the stuffing out of them. 그가 그들을 혼줄을 내 줄 것이다.
*knock the stuffing out of 혼줄을 내다. 코를 납작하게 만들다

You are full of beans! 당신은 정말 에너지가 넘치는 군요! (=You are so energetic.)

You are drinking the Kool-Aid. 믿을 걸 믿어라. 믿지 못할 것을 맹신하는구나.
*drink the Kool-Aid 쿨에이드(음료 상표)를 마시다 라는 뜻으로 스포츠와 관련해서 특정 팀이 잘 할 거라 믿는 것, 신봉하다, 맹신하다의 의미로 사용됨.

That really takes the biscuit. 그거 정말 최악이네.
*take the biscuit/cake 최악이다.

I feel like I'm repeating myself like a broken record.
난 내가 계속 같은 말을 반복하고 있는 거 같아.
He is like a broken record. 그는 같은 말을 계속 반복한다.
*broken record 같은 말을 계속 반복하는 사람(고장난 레코드기계처럼)

I won't say a word. Fly on the wall. 아무 말도 안 할게요. 벽에 붙은 파리처럼.
I'd like to be a fly on the wall to see what will happen.
무슨 일이 일어나는지 몰래 엿보고 싶네.
*fly on the wall 염탐꾼, 몰래 엿보다, 엿듣다
Were you eavesdropping on my conversation?? 너 내 얘기를 엿듣고 있었던 거야?
*eavesdrop 엿듣다(=listening in)
Are you seeing someone on the sly? 너 누군가를 몰래 만나고 있는 거야?
*on the sly 몰래

It won't fly ~그럴 일이 없을 거다, 허용되지 않을 거다.
My plan won't fly with my parents. 내 계획은 부모님에게 받아들여지지 않을 거야.
*Your marketing idea won't fly with US customers.
당신의 마케팅 아이디어는 미국 고객들에게 안 먹힐 거 에요.

Don't let anything clip your wings. 아무것도 너를 제한하게 하지 마.
*clip someone's wings. 누군가의 자유나 권력을 제한하다

He must have his head in the clouds.
그는 현실을 정확히 못 보고 있는 게 분명해요.(뜬 구름을 잡고 있는 게 분명해요. 공상속에 있는 게 분명해요.)

*head in the clouds 현실을 제대로 못 보는, 뜬구름을 잡는
Get your head out of the clouds. 현실을 제대로 봐! 뜬구름 잡지 마!
My new shop will be up and running next week. 다음주면 새 매장이 정상적으로 운영될 것이다.
*up and running 완전히 제대로 운영되는, 작동중인
My company runs like a well-oiled machine. 우리 회사는 아주 잘 굴러가고(운영되고)있어요.

As she and I have been working in the same department, we're like a well-oiled machine.
그녀와 나는 같은 부서에서 일해와서 우리는 합이 잘 맞는다.
*well-oiled machine 잘 운영되고 있는, 호흡이 잘 맞는

Calm down! Can't you see he's only winding you up?
진정해! 그는 그냥 너 약을 올리고 있을 뿐이잖아?
She knows how to wind me up. 그녀는 나를 어떻게 하면 약 올릴지 알아.

The speaker was winding up his speech. 연설자는 그의 연설을 막 마무리 지으려 하고 있었다.
*wind[waɪnd] (somebody) up 약 올리다, (연설,모임 등) 마무리 짓다, 사업 등을 접다

I love him to bits but I can't spend too much time with him.
나는 그를 정말 많이 사랑하지만 많은 시간을 함께 할 수는 없다.
*love it to bits 매우 사랑하다

You don't have to do the stiff-upper-lip thing with me.
나한테는 불굴의 정신 뭐 그런 거 하지 않아도 돼.(강한 척하지 않아도 돼.)
*stiff-upper-lip 불굴의 정신의, 낙담하지 않는

It is giving 90's. 90년대 느낌이 난다.
*it is giving~ 의 느낌, 분위기를 주다, ~같아
That song speaks to me. 그 노래는 마음에 와 닿는다.
*speak to (말, 인사 등) 건네다

I am up to the task. 난 그 일을 할 준비가 되어 있어요.
I am not up to it. 난 그 일을 할 준비가 안 되어 있어요

*up to the job 일에 능력이 맞다
I am all thumbs. 나는 손재주가 없다.
I am all thumbs today. 나 오늘 좀 덤벙대네.
*all thumbs 손재주가 없는, 서툴고 어색한 것
I got a green thumb. 나는 원예에 소질이 있어요.
*green thumb/fingers 화초를 잘 기르는 손 <-> brown thumb 말려 죽이는 소질

His question really caught me off guard. 그의 질문에 허가 찔렸다.
*caught off-guard 당황하게 하다, 허를 찔리다

He lost himself in the game. 게임에 푹 빠져 있었다.
*lost oneself (자기를)잃다, 몰두하다

My knees are playing me up. 다리가 아파요.
My kids are really playing me up. 애들 때문에 골치 아픕니다..
*play up 말썽을 부리다

I need to have some beer to blow off all that steam.
나는 맥주를 마시면서 스트레스를 좀 날려버려야 겠어요.
*blow off (some/all that) steam 화를 식히다/풀다

He has a heart of gold. 그는 마음씨가 좋습니다.
*heart of gold 순순한(아름다운) 마음

If you had the money, I should eat my hat. 당신이 돈이 있다면 내가 손에 장을 지질 게요.
*eat one's hat 장을 지지다, 그럴 리가 없다, 손에 장을 지지다(항상 if절과 함께 쓰임)
*talk through one's hat 허풍 떨다. 엉뚱한 얘기를 늘어놓다

I will put(throw) my hat in the ring. 난 출사표를 던질 것이다. 경쟁에 참여할 것이다.
*hat 모자, 직책, 역할

It is his bread and butter. 그것이 그의 생계 수단이다.

*bread and butter 주 소득원, 버터 바른 빵
My mother is the breadwinner in my family. 우리 가족의 가장은 어머니이다.
*breadwinner 가장, 생계비 벌어오는 사람
This is my livelihood. 이건 내 생계예요.
*livelihood 생계(수단)(=living)

It's like the blind leading the blind. 위험천만 한 상황이네! (장님이 장님을 이끄는 것과 같아)
You two look so lovey-dovey. 너희 둘은 알콩달콩 해 보여.
I was a sweet tooth. 난 단 걸 좋아했었지.
*have(or have got) a sweet tooth 단것을 좋아하다

I can't keep it straight. 뭐가 뭔 지 모르겠다.(혼동이 돼서)
I've been living under a rock. 세상과 담쌓고 살았다. 요즘 물정 모른다
*live under a rock 세상과 담 쌓고 살다
He is out of touch. 그는 실정에 어둡다, 세상 물정 모른다.
I wish I could crawl under a rock. 쥐구멍이라도 찾고 싶다.(창피해서)
*crawl under a rock은 쥐구멍을 찾다 라는 뜻 입니다.

Are you still walking on eggshells around her? 너는 아직도 그녀의 눈치를 보는 거니?
*walking on eggshells 조심조심하다 눈치보다
Please don't tiptoe around me. 제발 나를 불편하게 생각하지 말아요.
*tiptoe around 조심조심 행동하다, 눈치보다, 회피하다

The show will go on, rain or shine. 어떤 일이 있어도 쇼는 계속 될 겁니다.
*rain or shine 무슨 일이 있든지 간에, 비가 오나 화창하나
Alright, I will give you the benefit of the doubt. 좋아 일단 믿어 주지.
*give someone the benefit of the doubt 일단 믿어주다.

Stop spacing(zoning) out. 멍 때리지 마.
*space out 멍 때리다
I am gazing at the water. 물멍을 때리고 있어요.

I am getting choked up. 목이 메인다.(울먹여서)

I wear the pants at home. 난 우리집에서 주도권을 잡고 있어요.
*wear the pants 가장역할을 하다, 주도권을 잡다. \
*wear the stripes 교도소에 들어가다
Keep your pants on. 기다려, 진정해, 재촉하지 말고, 침착해

He is on a hot streak. 그는 승승장구 중이다.
*on a hot streak 승승장구하는
His business is on the up and up. 그의 사업은 승승장구하고있다.
I wasn't on the up and up. 난 정당하지 못했었다.
streaks of grey in her hair 그녀 머리에 난 흰머리 몇 가닥
*streak 바탕색과 다른 긴 줄 모양의 것, (사람의 성격에서)악한 면
*mean streak 야비한 구석(면)
You must be the apple of your mother's eye. 넌 너의 엄마에게 너무 소중한 존재야.
*apple of one's eye(단수) 아주 귀중한 것, 소중한 사람
You are a sight for sore eyes. 널 봐서 정말 기뻐.
It's an eyesore. 완전 흉물이야. 눈엣가시야.

Chapter 26. 통째로 외우면 유용한 표현들

Put your feet up. 푹 쉬어.

Get a load of this. 이거 좀 봐 봐. 이 얘기 좀 들어봐.

Take a gander. 한번 보세요.

*gander 거위

I needed that. 듣고 싶던 말 이네요.

What a goofball./Such a goofball move. 그것 참 엉뚱하네요.

I am not judging you. 나 너 비난하는 거 아니야.

What do you pull in? 돈 얼마나 벌어요?

We go way back. 알고 지낸지 오래 됐어요.

I lost for words./I am at a loss for words. 할 말을 잃었어요.

비슷한 표현으로 I am speechless.가 있습니다.

It's a bop! 정말 좋은 노래야!

*bop(속어) 정말 좋은 노래, 디스코 음악, 디스코에 맞춰 춤을 추다

Am I ever going to get there? 내가 거기 도착은 할 수 있을까?

Have at it. 마음껏 해(먹어, 써)

That's more like it. 이제 좀 그럴 싸 하네. 그게 훨씬 낫다.

Quit yanking me.(=Stop joking around) 장난하지 마, 농담하지 마

*yank 홱 잡아당기다, 미국인(낮잡아 보는 말)

*yank the door open 문을 홱 잡아당겨 열다

Just get out! 나가! (꺼져!)

꺼져, 저리가 등에 관련된 다른 표현들도 알아보겠습니다.

Get out of here! / Beat it! / Go away! / Take a hike!

Eat my shorts! 빌어먹을, 웃기지 마, 꺼져

Don't be(play/act) coy. 내숭 떨지 마.
Don't play dumb. 시치미 떼지 마.
=Don't play/act innocent(with me).
It is frustrating. 답답하네.(마음대로 안돼서)
Some things are better left unsaid. 굳이 다 말할 필요는 없어요
Mark my words. 내가 하는 말 잘 기억해.

So much for that topic. 그 화제는 그쯤 해 두자(그만 얘기하자)
*so much for 이쯤이면 됐다, 그만하면 됐다.
I rest my case. 전 여기 까지만 말 할 게요/제가 할말은 다 했어요/제 주장은 여기까지.
I wished for you so much so, I sculpted you from clay.
내가 너를 너무 원했던 나머지 직접 점토로 너를 조각했었지.
*so much so 너무 ~해서, ~할 정도로

Pick/Choose your poison. 골라. 선택해.(어차피 둘 다 안 좋을 때)

Lay it on me. 다 털어놔 봐.
자백해라, 털어놓다, 솔직히 얘기해라 등의 표현으로는,
Spit it out/fess up(fess; confess의 변형)/Come clean!/Make a clean breast of it.
등을 사용 할 수 있습니다.
Give it to me straight. 솔직히 말해줘.
Level with me. 사실대로 말해줘.
Let's call a spade a spade! 자 솔직하게 말해 봅시다!
(삽을 삽이라고 부르자 -> 있는 그대로 얘기하자는 의미)
*call a spade a spade 사실을 사실대로 말하다, 있는 그대로 말하다.
*spade=shovel 삽
Spill the tea. 얘기 좀 해봐.(풀어봐)

I feel like I got hit by a truck. (트럭에 치인 것처럼)온 몸이 너무 아파.
What's that got to do with me? 그게 나랑 무슨 상관이야?

It´s pretty much self-explanatory. 그건 정말 다른 설명이 필요 없네요.
*explanatory 이유를 밝히는, 설명하기 위한

The result speaks for itself. 결과가 말해 주잖아
Is it though? 그게 맞아? 그게 그래?
Such is life. 사는게 다 그렇지.
It may be presumptuous of me 제가 주제넘은(건방진) 걸 수도 있겠지만
*presumptuous 주제넘은, 건방진

Don´t take no for an answer. 사양은 사양 하겠어요, 안된다고 하지마요.
I think I´ll pass. 난 사양 할게요.
Hard pass! 극구 사양 할게!
*hard pass 단호한 거절
How do you deal with a hard pass?
단호한 거절에는 어떻게 대응하세요?

Don´t get your hopes up 너무 기대하지 마.
비슷한 표현은 Don´t hold your breath.

That´s absurd. 어처구니가 없다.
*absurd 터무니없는, 부조리
It´s not too shabby. 아주 나쁘진 않네.
*shabby 부당한, 터무니없는, 추레한
You are so busted. 너 딱 걸렸어.
*bust 부수다, 고장내다, 급습하다, 흉상, 반신상, 가슴둘레
뒤에 붙일 수 있는 표현으로,
in the act(현장에서)/red handed(현행범으로)
It´s busted. 그것은 망가졌어요.
*bust out 싹트다, 꽃피다, ~로부터 도망치다, 갑자기 ~하다
I was busting out from a crazy dog. 미친개로부터 도망치고 있던 중이었어.

I won´t keep you(here then). (그렇다면 여기서)시간 더 안 뺏을 게요.

What a disgrace. 정말 수치스러운 일이야
*disgrace 망신, 수치, 불명예(=shame), 망신스러운 것/사람, (체면에)먹칠하다, 실각하다

It was bound to happen. 그건 일어날 수밖에 없었어.
It is bound to happen someday. 언젠간 일어날 일이야.
I am right behind you. 널전적으로 지지해.
=I am rooting for you.
당신 뒤에 있다. 라는 의미는 상대를 지지한다, 응원한다 의미로 사용합니다.

I'll be back before you know it. 금방 돌아올 게.
*before you know it 금방 끝날 거다.(너가 알기도 전에)
=I will be back in no time.
*for a split second(=in the blink of an eye/in the twinkling of an eye)
눈 깜짝 할 새, 아주 잠깐
It happened in the blink of an eye. 그 일은 눈 깜짝 할 새 벌어졌다.
*in a New York minute 순식간에
I will give you a New York minute. 1분줄게(실제 1분보다 짧은 시간 의미)
I will be in and out. 잠깐만 들를거야, 금방 갈거야.

Money is no object. 돈은 중요 하지 않아.
돈이 얼마가 들더라도 상관없어. 돈은 충분하니 걱정마라는 표현입니다.
No can do. 안되겠어.(할 수 없어)
Sorry, no can do. 미안해, 안되겠네.
You are such a tattletale. 넌 정말 고자질쟁이야!
*tattletale(=telltale) 고자질쟁이(주로 어린 아이에게)
*snitch 고자질하다(=sneak) 고자질쟁이

Jinx[dʒɪŋks] 찌찌뽕!(아이들이 동시에 같은 단어나 구문을 말했을 때의 감탄사), 나쁜 운을 가져오는 사람/사물
Don't Jinx. 불길하게 그런 소리 하지 마라.
There's a jinx on this car. 이 차에 징크스가 있어.

You are my breath of fresh air. 당신은 나에게 청량제 같은 사람이에요.
*a breath of fresh air 좋은 에너지를 불러오는 사람/사물

It's just the tip of the iceberg. 빙산의 일각이지
I don't blame you. 그럴 만도 하지(그럴 수도 있지)
It happens to the best of us. 그럴 수 있지. 그럴 때도 있지

That's the beauty of it. 그게 바로 좋은 점 이야.

Lo and behold 하~ 이것 봐라(놀랍거나 짜증스러운 것에 대해)
couple thoughts 몇 가지 생각이 있어요
about time(too) 진작에 했어야/그랬어야 했다
upsy-daisy 아이고 이런(아이들이 넘어졌거나, 일으켜 세워주려고 할 때 쓰는 표현)
Now you are talking. 이제야 말이 통하네.
You know the drill. 말 안 해도 알지? 어떻게 해야 하는지 알지?
It is no picnic. 쉽지 않아요.
It's a tough nut to crack. 만만치 않은 일이야.
It gives me chills. 소름 끼쳐요.
I am blown away. 완전 감동 받았어.
Break a leg! 행운을 빌어!
on a scale of 1-10 10점 만점(기준)으로 얼마?

It is a stretch. 그건 무리다.
That's a bit of a stretch. 그건 좀 억지(무리)야
Seems a little far fetched. 뭔가 억지스러워 보여. 비현실적이야.

It's a bummer. 아쉽네.
*bummer 실망, 실망스러운 일
I am bummed (out). 속상해.
She really bums me out. 그녀는 나를 정말 실망시킨다.(짜증나게 한다)

I would have done the same thing. 나라도 그랬을 거야.

We are back to square one. 다시 처음(원점)으로 돌아왔네.
Are we square now? 우리 서로 빚 없는 거지?
That settles it. 그걸로 결정 났네. 그럼 결론 났네.
(That is) music to my ears. 반가운 소리네요.
I know so. 확실해.(=I am sure about this.)
=I am positive 확실하다, 분명하다.
여기서 positive는 긍정적이다 의미가 아닙니다.

It's only a matter of time before they find out. 그들이 알아내는 건 시간 문제 일 뿐이야.
It's a matter of time before/until ~하는 것은(~가 되기까지는) 단지 시간문제 일 뿐이다.

The world doesn't revolve around you. 세상은 너 중심으로 돌아가지 않아.
(모든 게 너의 뜻대로 되지 않는다는 의미)

I lost track of time. 시간 가는 줄 몰랐다.
You can never be too careful. 조심해서 나쁠 건 없지.
This place is quite quaint. 여기 꽤 운치 있네요.
*quaint 예스러운, 진기한

I am all set. 준비 다 됐어. 난 괜찮아.
Do you need anything else? 더 필요한 게 있을까요?
No thanks. I am all set. 아니요 전 괜찮습니다.
You are all set. 다 됐습니다.(서류, 계산 등이 다 끝나서 이제 가도 된다는)
Let's decide by majority. 다수결로 결정하자.
No biggie.(=No big deal). 별 일 아니야, 아무것도 아니야
It is fattening. 그거 살쪄.
*fattening 살이 찌게 하는
That's rich(coming from you). 어이없네.(너한테서 그런 소릴 듣다니)

Can you tell? 티가 나?(알아 차리겠어?)
I could tell 티가 나더라고.

Are you following me? 뭔 말인지 알지? 이해하지?
Am I the only one not getting this? 나만 이해못하고 있나요?

Don't be so hard on yourself. 자책하지 마.
I don't buy it. 안 믿어.
I don't have a (open) window for that. 그럴 시간이 없어.
*have a window 잠깐의 시간/짬을 내다
My ears are burning. (뒷담화로)귀가 간지럽다.
That is news to me. 처음 듣는데, 몰랐는데
Better late than never. 늦어도 안 하는 거 보다는 낫다.
Never too late. 너무 늦은 때는 없습니다.
on the count of three=on three 셋 셀 게

Behave yourself. 똑바로 행동해.
Clean up your act. 행실을 똑바로 해라
Mind your manners. 매너 좀 지키지

Oh, I just put my foot in my mouth. 내가 방금 말실수를 했네
*a slip of the tongue 실언. 말실수 (반드시 a사용)
I made a boo-boo. 내가 (멍청한) 실수를 했어요.
*boo-boo 타박상, 실수, 실책
I just went there and I ran my mouth. 내가 그냥 거기 가서 입을 함부로 놀렸어요.
*run one's mouth 입을 함부로 놀리다
I will eat my words. 내가 한말 취소
=scratch that
I wish I could take it back. 그 말 주워 담을 수 있으면 좋겠어.
Take it back! 그 말 취소해!

like husband like wife 부부는 닮는다
the more the merrier 많을수록 좋다
the sooner the better 빠르면 빠를수록 좋지
The end is in sight. 끝이 보인다.

It is still a long way off. 아직 한참 남았어. 먼 훗날 일이야.
Don't go through the motions. 하는 시늉만 하지 마.
That is not my bag. 내 분야가 아니에요.

It's not my thing. 내 취향은 아니네.
That's right up my street. 내 취향이야
(That's/It's) not (quite/really) my cup of tea. 내 스타일이 아냐

I was made for it. 난 타고 났어.
You are a natural. 넌 타고 났구나(재능)
I am not cut out for it. 적성에 안 맞아. 소질이 없어.

It is up in the air. 아직 결정 안 났어.
That's ambiguous. 애매한데.(문장이나 대화의 의미 등이)
*ambiguous 애매한, 분명히 규정되지 않은
It is set in stone. 확실히 정해졌어.
It's such a broad question. 막연한 질문이네요.
*broad 폭이 넓은

It is on the tip of my tongue. 생각이 날 듯 말 듯하다.
I am all ears. 경청하고 있어, 잘 듣고 있어.
You are being petty. 속 좁게(쪼잔하게) 굴고 있어
=You are so small minded.
Keep your chin up. 힘내라. 자신감을 가져라.
Take heart! 힘내세요! 용기내!
*take heart 힘을 내다, 힘을 얻다
I can take heart from my friends. 나는 친구들로부터 용기를 얻는다.
Lighten up. 기운내, 가볍게 생각해.

Couldn't agree more. 완전 공감해.
Ditto/likewise/same here 나도 그래
The feeling is mutual. 동감이에요.

It's a no-go. 취소되었어.
It's my treat. 내가 살게.(=It's on me.)
How bad could it be. 얼마나 나쁘겠니.(나빠봐야).
It is the thought that counts. 마음만으로도 고마워.(중요한 건 마음이지)
You are on your own. 너 스스로 알아서 해.
I was on my own. 아무도 날 도와주지 않았어.(내 스스로 했어.)
I could get used to this. 계속 이랬으면 좋겠다, 매일 이랬으면 좋겠다.
'익숙해질 수 있었다'로 해석하지 않습니다.
Period. 더 이상 말하지 마
*period 마침표(.)

Not even close. 완전 헛짚었네. 전혀 비슷하지도 않아.
You are barking up the wrong tree. 헛다리 짚었어.

That was a close call. 아슬아슬했다.(어떤 일이 날 뻔 했다.)

I'd hate to impose. 폐 끼치기 싫다.(=I don't want to impose.)
No imposition at all! 민폐가 절대 아니야!
*impose 도입하다, (힘들거나 불쾌한 것을)지우다, 강요하다, 가하다
*impose restriction 제한조치를 시행하다(가하다)

I will bite. 한번 해보지 뭐
Bite me. 어쩌라고

Circumstances alter cases. 상황에 따라 사정도 변하는 거야.(사정에 따라 입장도 변한다.)
It is a steal. 완전 거저야.(공짜나 다름없어.)
It runs in the family. 집안 내력이야. 유전이야.
Let's take five. 잠깐 쉬었다 하자.
It's the thought that counts. 마음만으로도 고마워
It is way better. 훨씬 더 나아.
Not exactly what I had in my mind. 내가 생각했던 것과는 다르네.
One way or the other. 이러나 저러나. 어떻게 든.(결과는 같다.)

I've seen better days. 그다지 좋지 않아, 오늘은 별로야.
You are having a laugh.(=You are joking.) 장난해? 농담이지요?
Don't be bashful.(=shy) 부끄러워하지 마.
It's just wishful thinking. 그건 희망사항일 뿐이야.
It is a long shot. 가능성이 희박하다.
You can never rule anything out. 가능성을 배제할 수 없다.
That is the spirit. 바로 그거야(패기,정신,태도)
That's the ticket. 바로 그거야!

Pinky swear! 손가락 걸고 약속!
*pinky(=little finger) 새끼손가락

Is it just me? 나만 그래?
Tell me about it. 그러게. 내 말이. (무슨 말인지 잘 알지)
I hear you. 그러게.

Not a chance 그럴 리가 없죠
By no means 절대 그럴 리 없죠
Go figure. 말도 안돼. (이해가 안된다)
Listen to you./yourself 말이 되는 소리를 해.
Don't beat your gums. 헛소리하지 마.

It's your call. 너 하자는 데로 할 게(너가 결정할 일이야)
That's the right call. 옳은 결정이야.(=It's a good call.)
*bad call 나쁜 결정, tough call 어려운 결정

That's all it takes. 필요한 건 그게 다야
That's pretty much it. 그게 다야

It's very hush hush. 다들 쉬쉬하는 거야.

It goes without saying 두말 하면 잔소리

You are preaching to the choir. (성가대에 설교하는 거야)이미 알고 있다. 두말 하면 잔소리다.
*preach 설교하다.
*choir 성가대, 성가대석

Look same. Not the same thing. 보기엔 같아도 전혀 달라.
Nature calls (me). 나 화장실 가야 해
Ignorance is bliss. 모르는 게 약이다.
*bliss 행복

What a tool! 저런 얼간이가 있나!
Please don't be such a chump. 제발 얼간이 같이 굴지 마.
*chump 얼간이, 멍청이

Live a little. 인생을 좀 즐겨.
I need some air. 바람 좀 쐬야겠어.
It was epic. 대박이었어.
*epic 서사시 <-> lyric 서정시

Same difference 그게 그거지(별차이 없어)
Potato potahto 그게 그거지(그거나 이거나)

I couldn't care less. 전혀 신경 안 써.
Just save it, alright? 그만해. 알았어?
Give me a break. 그만 좀 해. 농담하지 마.

Happy belated birthday. 늦었지만 생일축하해.
*생일 지나서 축하해 줄 때 belated(늦은)로 표현 합니다.
Don't take it personally. 오해 하지 마, 기분 나쁘게 받아 들이지 마.
비슷한 표현으로 no offence(=offense)가 있습니다.

Don't cut me off. 말 끊지 마.
I wasn't quite finished. 내 얘기 아직 안 끝났어.

Hear me out. 내 얘기 끝까지 들어봐.

You get the picture? (상황을) 이해했어?
I can't hear myself think. 집중이 안돼, 정신 사나워.
(주변이 시끄럽거나 어수선해서 집중을 할 수 없을 때의 표현입니다)
Brace yourself. 마음 단단히 먹어.
*brace 대비하다, 버티다, 치아교정기, 버팀대
Count me in. 나도 포함시켜줘
Count me out. 나는 빼 줘

I get that a lot. 그런 얘기 많이 들어
*I hear that a lot. 라고 표현하지 않습니다.

I am really grateful to you. 정말 감사합니다
Thank you라는 표현보다 조금 더 마음을 담아 말 하고 싶을 때 좋은 표현입니다.
This is taking forever. 이거 너무 오래 걸리네.

Fret not! (=Don't worry/Do not fret about it.) 조바심 내지 마.
조바심 내지 말고 너무 염려하지 말라고 얘기할 때 사용합니다.
*fret 조바심치다

Sorry is not gonna cut it. 미안하다는 말로는 부족해
Surprise me. 알아서 해줘 (놀라게 해줘 라고 직역하지 않습니다)
I am just thinking out loud. 그냥 생각 나는 대로 얘기하는 거야.
See for yourself. 직접 확인해봐.

That's a given. 그건 당연한 거지.
당연하다와 관련한 표현을 살펴보겠습니다.
It's self evident. 그건 자명한거고..
It is a no brainer. 생각할 것도 없어(너무 당연한 거야, 쉬운 거야)
You have every reason to go there. 너가 거기에 가는 건 당연하지.
You bet. 당연하지, 물론이지

No wonder 그도 그럴 것이, 당연하게도

No wonder he is sick. 그러니 그가 병이 나는게 당연하지요.

Are we a couple? 우리 애인사이야?

Duh! 그걸 뭘 물어봐?(당연한거 아니야?)

*Duh(감탄사) 흥, 저런, 설마, 이런, 그것도 몰라? 당연한 거 아니야?의 뉘앙스로 감탄사로 사용됩니다.

That is low. 너무 하네.

*비슷한 의미의 단어로 harsh/unfair를 사용할 수 있습니다.

It is a hassle[ˈhæsl](=I am not bothered./I can′t be bothered.) 귀찮아.

It is bothersome. 귀찮다

It is bothersome to wash every day. 매일 씻는 것은 귀찮은 일이다.

You are all talk. 넌 말 뿐이야.

Word travels fast. 소문 참 빠르다.

So be it. 어쩔 수 없지. 그러지 뭐.

It is what it is. 어쩔 수 없지 뭐 그게 그런 거지 뭐.

I couldn′t help it. 어쩔 수 없었어.

It can′t be helped. 어쩔 수 없지

there there 토닥토닥(누군가 위로해 줄 때)

same old same old 맨날 똑같지 뭐

Allow me. 내가 도와 줄게요. Let me help you.와 같은 의미로 사용합니다.

Don′t mind me. 저는 신경 쓰지 마세요.

I stand by it. 아직도 생각이 같아.

*stand by 대기하다, ~을 고수하다.

Stick to your guns. 당신 뜻을 굽히지 마세요(고수하세요)

*stick 고수하다

Stick to your plan. 계획대로 계속해.(힘들고 어렵지만 고수해라)

What I learned at school will stick with me. 제가 학교에서 배운 것은 앞으로도 저와 함께 할 것입니다(나에게 남아있을 것이다.)
*stickler (~기준, 규칙, 행동 등에) 엄격한 사람
He is a stickler for company rules. 그는 회사규정에 엄격한 사람입니다.

Just my luck. 내가 그렇지 뭐 (운이 없지.)
Tough luck (for you). 운도 없구나. ('내 알바 아니다'의 뉘앙스입니다)
Oh, you really lucked out then. 오 그러면 당신은 정말 운이 좋았던 거네요.
*luck out 운이 좋다
*out of luck 운이 나빠서, 운이 없어서

Anything goes! 뭘 해도 괜찮아!

Thanks for the pep talk. 응원 고마워.
*pep 생기, 활력/pep talk 응원, 격려
Way to go! 잘했어. 대단해
Kudos (to you). 잘했어
*kudos 영광(prestige), 영예, 찬사
You nailed it.(=You slayed it.) 완전 잘 했어.
*slay! 멋지다!
Score! 훌륭해. 대단해!
That's dope.=amazing
It is the real deal. 그거 진짜 괜찮다.
He is the real deal. 그 사람 진짜 괜찮아, 멋져
He is a keeper. 꽤 괜찮은 사람이다.
This is legit. 이거 진짜 끝내 주는데.
That is so tight. 아주 훌륭해.
*tight 단단한, 꽉 조이는, 아주 멋있거나 잘생긴

It was out of whack. 그건 엉망이었어.
Your calculations are all over the place. 너 계산은 엉망이야.
*all over the place는 '정신이 없다'라는 표현에도 언급이 되어 있습니다.

It's a load(weight) off my shoulders(chest/mind). 아이고 홀가분 해라.
*a load off my shoulders 마음의 짐을 덜다

Hold down the fort. 자리 좀 지켜줘. 일 좀 봐줘.
*hold down 억제하다, 유지하다, 꾹(오래)누르다
*fort 보루, 요새

I am sorry about before/earlier. 전엔 미안했어요

(It's) mind over matter. 마음먹기 나름이야.
I am over it. 이제 괜찮아. 난 극복했어.
Bite the bullet. 이 악물고 해.

No dibs! 찜 하기 없기!
I called dibs on Jane. Jane은 내거야. 내가 찜 했어.
I got dibs on the drumstick. 닭다리는 내가 찜한거야
*call/have/get dibs on ~를 찜 하다
*dib 몫
*dibs 잔돈, 푼돈, 소유권, 자기차례(주로 어린아이들)청구권
*혼동주의; dip 살짝 담그다, 내려가다, 떨어뜨리다, 하락

Please bear with me. 양해를 구합니다. 이해해 주길 바란다.

Don't go too far. 선 넘지 마.
You are out of line. 넌 선 넘었어(=You crossed the line.)

Do you see what I am getting at? 내 요점이 뭔 지 알겠어? 뭔 말인지 알겠어?
What are you getting at? 무슨 말을 하려는 거야?

Oh my, I won the lottery! 와 나 복권 담청 됐어!
You don't say! 진짜?

You made that look easy. 넌 그걸 참 쉽게 하네. (남들에게는 어려운 일을 쉽게 해낼 때)

It's catchy, right? 중독성 있지, 그렇지?
*catchy 중독성 있는, 사로잡는, 괜찮은

It makes me cringe. 민망하게 하네.(손발이 오글거린다.)
Some postings are cringe worthy. 어떤 게시물들은 좀 민망하다
*cringe 움츠리다, 민망하다
Don't be a drama queen. 호들갑 떨지 마. 오버 하지 마.
Don't make a scene. 소란 피우지 마(=Don't make a fuss.)

It can't hurt to ask/check. 물어본다고(확인한다고) 손해 볼 건 없다.
What have you got to lose? 잃을 게 뭐야?(밑져야 본전이지)
Here goes nothing! 밑져야 본전이지!! 하는 데까지 해보자!
What is not to like? 싫을 게 뭐가 있어? 맘에 안 들게 뭐야?
What is not to like about her? 그녀를 안 좋아할 이유가 뭐야?

I will leave you to it. 너에게 맡길게, 난 이제 가볼게.
Back up there. 다시 말해봐.

I had a blast. 정말 즐거웠다.
Have a blast. 좋은 시간보내.

Your guess is as good as mine. 모르긴 나도 마찬가지야.
That makes two of us. 나도 마찬가지야.

I am soaked. (비 등에) 흠뻑 젖었다
I am soaked up the Sun on the beach. 바닷가에서 햇빛을 흠뻑 받았다

I am so bad with directions. 난 길치야.
I am not so good with words. 난 말주변이 없어요.

I had a gut feeling. 촉이 왔다.
*gut feeling 직감
*gut(=intestine) 내장, 소화관
I should have gone with my guts. 느낌(직감)대로 했었어야 하는데.
Just a hunch. 그냥 느낌이 그래.
*hunch 예감, 직감, 구부리다
I had a hunch you might not be coming back. 너가 안 돌아올 것 같은 예감이 들었는데.
I had a premonition of disaster. 재난이 있을 것 같은 불길한 예감이 들었다.
*premonition(=foreboding) (특히 불길한)예감
The writing is on the wall. 불길한 조짐이 보여. 나쁜 징조야.
이 표현은 구약성경 다니엘서에서 그 기원 있다고 하는데요, 다니엘은 꿈을 해석하고 묵시적 환상을 받는다고 알려져 있습니다. 무언가 벽에다 미래에 대한 예언을 적어 놓았었는지 어쨌든 부정적 미래를 예견할 때 사용합니다.

Why didn't it occur to me. 왜 그 생각을 못했을까.
Sky is the limit. 불가능은 없어. 한계란 없어.
Never gets old. 질리지 않아.
Saved you a seat. 자리 맡아 놨어.
But it comes at a price. 하지만 대가가 따르지요.

I've lost my mojo. 의욕을 잃었어.
*mojo 마력, 마력을 가진 물건, 매력

Did I catch you at a bad time? 바쁠 때 온건가요?
Excuse my French. 막말해서 미안해.
This world is so zen. 세상은 참 평온하다
*zen 선(일본식 불교), 선종
We have the upper hand. 우리가 우세하다
We got into a little tiff. 조금 싸웠거든(=We had a little tiff.)
Stop mooching off me. 그만 좀 빌붙어.

What drives you. 동기가 뭐야?

What is holding you back? 무엇때문에 망설여
What's the rush? 뭐가 그리 급해?
What makes you say that? 왜 그런 말을 해?
What brings you here? 어떻게 왔어?

I don't want to lose my face. 체면 잃기 싫어.
He was trying to save his face. 그는 체면 차리기에 급급했다.

I beg to differ. (정중하게)내 생각은 달라요.
Not in my books. 난 아닌데, 안 그렇게 생각해.
I don't agree. /I disagree. 와 같이 자신의 신념이나 생각과 다른 경우에 사용합니다.
비슷한 표현으로 Speak for yourself가 있습니다. '그건 너 생각이고.'
Agree to disagree. 의견의 차이를 인정하다, 다름을 인정하다.
Well, I agree to disagree. 좋아 의견차이를 인정하지.
I just need a change of scenery. 단지 기분전환이 필요해.

It's kind of a hidden gem. 숨겨진 명소야.(보석이야)
*gem(=jewel)보석, 보배

I am trying to watch what I eat these days. 요즘 식단 관리를 하는 중이야

Take a crack at it. 한번 (도전, 시도)해 봐.
Let's give it a go/shot. 한번 해 보자.

Read my lips. 내 말 잘들어.
Aren't you sweet.(=You are sweet.)
물음표없이 많이 사용하고 '참 다정하네요'의 의미입니다.
Easy does it. 천천히 해. (급하게/심각하게)하지 말고.
Don't sweat it. 너무 스트레스 받지 마. 너무 애쓰지 마.

Smell a rat. 뭔가 수상한데.
There's something fishy going on. 뭔가 수상한 냄새가 나는데.

Something is off. 뭔가 수상해.

Serves you right. 넌 당해도 싸. 꼴 좋다.
You can't make me. 강요하지 마.
I will give you that. 너 말이 맞네. 인정할게.
There's nothing to it. 그거 별거 아니야. 아무 것도 아니야.
No harm no foul. 별거 아니니 괜찮다.
상대의 실수나 잘못에 대해 큰 피해가 없으니 괜찮다 라고 얘기해 줄 때 사용합니다.
Not on my watch. 절대 안돼(내가 지켜보고 있는 한 안돼)
In your dreams. 꿈 깨라.(꿈속에서나 가능한 일이고)
As if 웃기고 있네/퍽이나
You wish. 꿈 깨/허튼소리 마.

Way ahead of you. (그럴 줄 알고)벌써 다 했지. 이미 그렇게 했지. 준비 했지.
Let's bounce. 가자.

Shake on it.(=deal) 그러기로 하지. 동의하지.
Shake it off. 다 떨쳐내 버려. 털어 버려.
I can't shake(off) the feeling. 그 느낌을 떨칠 수가 없어.

(Are you) getting cold feet? 초조해? 불안해?
I am getting cold feet. 난 겁이나, 초조해.
You got cold feet. 너 겁먹었구나.

Cat got your tongue? 왜 그렇게 말이 없어?
yes and no 그렇기도 하고, 아니기도 하고
I'll say. 맞아 정말 그래.
It's a blessing in disguise. 오히려 잘 된 일일지도 몰라.(전화위복)
Don't push my buttons. 날 화나게 하지 마.
Not necessarily 꼭 그런 건 아니야
The rest is history. 나머지는 (다들 아는)뻔한 이야기야.
Hey! think fast! 야 받아봐!(물건 등을 갑자기 던지면서 받아 보라 할 때)

I am (just/)still processing. 받아 들이는 중이에요
What a relief 다행이다(=thank god)

Thanks god. 신이시여 감사합니다.
*한국에서도 유명한 패밀리 레스토랑 TGIF는 무엇의 약자일까요?
'THANKS'가 아닌 'THANK GOD IT'S FRIDAYS' 입니다.

I am relieved. 다행이야. 안심이 되네
I stand corrected. 내가 잘못한 걸 인정해. 내가 틀렸어요.

Don't pretend otherwise. 아닌 척하지 마.
Why pretend otherwise? 왜 아닌 척 해?

I mean business. 진심으로 하는 얘기야.
I learned the hard way. 어렵게 배운 거 에요.
Don't get too attached. 너무 정(공) 들이지마.
Don't cut in line. 새치기하지 마.

You got me. 모르겠다, 내가 졌다, 딱 걸렸다
You('ve) got me there. 인정할 수 밖에 없네(반박할 수 없게 만들었다)

I don't know you from Adam. 난 널 전혀 몰라.
I will earn my keep. 내 밥 값은 할 게
Thanks for nothing. 하나도 안 고마워. 너 때문에 다 망쳤어.

I am turning over a new leaf. 난 새 사람이 되려고 해.(바뀌려고 해)
Let's not dwell on/in the past. 과거에 연연 하지 말자.
*dwell 살다(거주하다)
*dwell on(곱씹다. 누누히 말하다)

I thought it was on vibrate. (핸드폰을) 진동모드로 해 놨다고 생각했는데.
Don't get smart with me. 나한테 까불지 마. 건방지게 굴지 마.

Don't start with me. 시작도 하지 마(뭔가 시비를 걸거나 비난하려고 할 때)

Throw me a bone. 나 좀 도와줘, 나에게 작은 도움을 줘.
Please have a heart. 인정을 좀 베풀어줘.

You scared me out of crap. 간 떨어질 뻔했네.

You name it. 말해 봐, 이름을 대봐(뭐든 다 있어, 다해봤어)
You name the place. (장소는) 너가 정해.

Fake it till you make it. 될 때까지 해봐.
finders keepers! 주운사람이 임자지
That explains a lot. 그래서 그랬군.
That's typical of you. 딱 너답다.
Don't fall for it. 속지 마
What's his face? 그 사람 이름이 뭐더라?
I am so bad with names. 난이름을 잘 못 외워.
That is such a double standard. 내로남불 이네.
I need to pick your brain. 너 머리(지혜)좀 빌리자.

Just mingle, blend in! 어울리고 잘 섞여봐!
I am gonna blend in. 나도 섞여(어울려)보려고.

It looks like I am a third wheel. 내가 쓸데없이 낀 사람 같아
When does the cold shoulder stop? 언제까지 쌀쌀맞게 대할거야
That's out of the question. 그건 불가능해. 논의할 필요도 없어.

I call shotgun. 내가 앞에 탈게(=I will ride shotgun.)
*shotgun drinking 맥주 등을 캔 옆구리 밑부분에 구멍을 뚫어 마시는 방법

buckle up! 각오해! 준비해!
버클(벨트의)을 채워! 라는 직역도 가능하지만, 그러한 특정상황이 아닌 상황에서는 각오해!

준비해!(앞으로 일어날 일에 대해) 라는 뜻입니다.
반대로 buckle down은 어떤 의미가 있을까요?
본격적으로 착수하다, 덤비다의 의미가 있습니다.
I'd better buckle down to those reports. 본격적으로 그 보고서들에 덤벼 봐야 겠어.

Been there, done that. (이미 다해봐서)알아, 새로울 거 없어, 다 겪어 봤어.
This isn′t my first rodeo. 나 이거 처음 아니야.(경험이 있다.)
I've been there before. 나도 그런 적이 있다. 가본적 있다 둘 다됨.
That′s a first. 처음 듣는다.

Fire away 마음껏 질문하세요

Stay put. 가만히 있어.
Stay still. (움직이지 말고)가만히 있어봐.
Stay out of it. 넌 빠져. 끼어 들지 마.

Cry me a river. 그만 징징대.
Good thing. I didn′t. 안 하길 잘했네.
*good thing ~한 게 잘했네.
You do you. I will do me.
넌 너 하고 싶은 대로 해. 난 나 하고 싶은 대로 할거야.
go big or go home 이판사판이지, 모 아니면 도, 기왕할거 제대로 하지.
I have been missing out my whole life. 인생 헛 살았네.

You went behind my back. 나 몰래 그랬잖아. (뒤통수를 치다, 배신하다)
Stop talking behind my back. 뒷담화 그만해.

even steven 쌤쌤이야, 퉁 쳐
It hits different. 그거 다르게 느껴져.
I got a static shock./I got zapped. 오 정전기 났다.
I am in a pickle. 난 곤경에 처해있다.
You are so full of yourself. 넌 너무 자만하네. 재수없네.

It's hard to swallow. 믿기 힘드네.

Cross my heart and hope to die. 맹세 할게요.(아니라면 죽어도 좋아요)
손가락으로 가슴에 십자가를 그리는 모습을 생각해 보면 됩니다. 신께 맹세하고 아니면 죽어도 좋다는 표현입니다.

It(this) is the last straw. 더이상 못 참겠다, 한계다
*straw 짚(hay), 지푸라기, 빨대
미국 속담에 지푸라기 하나가 낙타 등을 부러트린다 라는 말이 있는데요, 결정적인 하나의 행동, 또는 한계에 다다른 참을성 등을 얘기할 때 이 표현을 씁니다.

I am down (for it). 좋아 그렇게 하자
I am down for anything./I am good with whatever. 난 아무거나 괜찮아
이 표현이 재밌는 것이 'I am up for it.'도 찬성 한다는 같은 의미라는 사실입니다. I am down.이라고 줄여서 표현해도 되나 I am up. 라고는 하지 않습니다. (깨서 일어나 있다 의미로 들립니다.)
다른 표현들도 함께 보실까요?
I am sold(= I am sold on that.) 난 동의해.
It works for me. 난 좋아
I am game. 좋아, 할 게.
You sold me. 내가 설득 당했네(너한테)
You sold me out.은 '넌 날 배신했어'라는 표현으로 주의가 필요합니다.

Rise and shine. 그만 자고 일어나.
up and at'em 어서 일어나서 돌격!(적극적으로 파이팅 외칠 때)
You just crossed my mind. 갑자기 너 생각이 났어.

I lost my touch. 난 감을 잃었다.
Have I lost my touch. 내가 감을 잃은 건가.
You've lost your edge. 당신은 날카로움을 잃었어요.
*lost edge 날카로움을 잃다/가격 경쟁력을 잃다

The jig is up! 다 틀렸다!('볼 장 다 봤다' 뉘앙스의 속어 표현입니다.)
The jig is up! Let's go back to work. 다 틀렸다! 업무에 복귀합시다.
I am swamped(=I am very busy.) 나는 지금 매우 바쁘다.
*swamp 늪. 쇄도하다
비슷한 표현으로 I am stretched (too) thin.이나 I got too much on plate.를 사용할 수 있습니다.

I am so pumped. 난 지금 흥분 돼. 들 떠 있어.
비슷한 표현으로,
I am so excited./I am so psyched[saɪkt]./I am so giddy./I am hyped./I am wowed./I am stoked./I am jazzed.가 있겠습니다.

들떠 있는 것과 반대로 두려움을 느낀다의 표현은 'trepidation' '앞 일에 대한 두려움'을 사용할 수 있습니다.
I am full of trepidation.(=I am filled with trepidation.)
나는 두려움에 휩싸여 있어.
Let's not get carried away. 자제력은 잃지 말고.
I got carried away. 흥분 했었다. 자제력을 잃었었다. 흠뻑 빠져 있었다.
I got carried away with video games. 오락(게임)하는데 정신이 없었다.

You will be sorry. 당신 후회할 거 에요.
'너는 미안 해 할 것이다'가 아니고 유감스러운, 애석한 의미로 씁니다.
I am at your service. 뭐든 시켜만 주세요.
당신의 서비스에 있다 라고 직역되는 의미는 뭐든 시키면 하겠다 라고 의역할 수 있습니다.

Knock yourself out. 마음대로 해. 하고 싶은 대로 해.
상대방이 무언가 하고 싶어할 때 사용하는 표현인데요, 의미상 비슷하게 사용하는 표현들로,
Suit yourself./Help yourself./Go ahead./Be my guest./Feel free./By all means등이 있습니다.
I left his own devices. 난 그가 마음대로 하게 놔뒀다.
*leave one's own devices ~마음대로 하게 놔두다

You are my safe haven. 너는 내 안전한 보금자리야.
*haven[ˈheɪvn] 안식처, 피난처

He is a polymath. 그는 박식한 사람이다.
*polymath(=polyhistorian) 박식가, 박식한 사람
아는 게 많아서 똑똑한 사람들에게 쓸 수 있는 표현으로 아래 단어들도 함께 알아 두면 좋겠습니다.
*monomath 한 가지에 대해서만 아주 잘 아는 사람
*polynaff 여러가지가 다 모자란 사람

It gets me going.
긍정: 나를 움직이게 한다.(원동력)
부정: 짜증나게 한다. 거슬리게 한다
She is starting to tick me off. 그녀가 나를 짜증나게 하네요.(=She is pissing me off.)
*tick/piss someone off 짜증나게 하다

Are you decent? 들어가도 돼?
직역하면 품위 있는 상태야? 제대로 된 상태야? 인데요,
들어 가도 돼? 옷 입었어? 라는 의미입니다
*decent 품위 있는, 괜찮은, 제대로 된, 예의바른

I haven't got all day, my friend. 친구야 내가 시간이 남아돌지 않아.
*haven't got all day(=don't got all day)
시간이 남아돌지 않는다, 이렇고 있을 시간이 없다라고 할 때 사용합니다.

As I live and breathe. 오 이런 세상에!
살다 보니 이런 일이 다 있네!등의 의미로 사용 합니다.
Oh, are you Sujin? As I live and breathe!
오 너 수진이 맞아? 오래 살고 볼일이네.

Get a grip/hold on yourself. 정신 차려.
'정신 차려라'라는 표현은 너무 다양합니다. 아래 표현들을 보실까요?
Get a life.
Get/Keep it together.
Get your act together.

Pull yourself together.

Snap out of it. (부정적인 생각에서)빠져 나와!

Gird your loins. 긴장해, 정신 바짝 차려

*gird 묶다, loin 허리, 둔부

Collect yourself.

Make no mistake 명심해. 분명히 말한다.

Whatchamacallit(=what you may call it.) 뭐라고 하더라…

just because 그냥(아무 이유 없어)

Because I can. 내 맘인데, 내 맘대로 할건데

Screw it! 에라 모르겠다!(될 대로 되라)

Just so you know. 그냥 알고 있으라고. 참고로 말하자면.

I hate to break it to you. 너에게 이런 말하긴 싫지만.

Chapter 27. 표현을 유창하게 해주는 어휘들

long story short 짧게 말하면
in a nutshell[nʌ́tʃèl] 간단히 말하면, 짧게 요약하면
in the first place 애초에
by the looks of it (겉으로, 정확하지는 않지만)보기엔

if only ~이면/이었으면 좋을 텐데(좋았을 텐데)
If only I were rich. 내가 부자라면 좋을 텐데.

all along 내내(죽)
You knew all along. 넌 처음부터 알고 있었구나.
They were here all along. 그것들은 줄곧 여기 있었어.
I was right all along. 애초부터 내가 맞았다고.

indefinitely 무기한으로
for old time's sake 옛정을 봐서
for God's sake 제발
no wonder 어쩐지
by the same token 마찬가지로, 같은 이유에서, 같은 맥락으로

likewise 마찬가지
in vain 헛되이

and all 이런 거 저런 거 다
I appreciate all the things that you've done for me, and all.

저에게 해 주신 것들과 이런저런 모든 것에 감사드립니다.

not to mention 말할 것도 없고
around the clock 24시간 내내, 쉬지 않고

why bother 굳이
Why bother going to graduate school? 왜 굳이 대학원에 가려는 거야?
Why bother asking? 뭐 하러 굳이 물어봐?

on a whim 충동적으로
anytime soon (부정/의문문)곧

beforehand 사전에 in advance/ahead of time
I wish we'd known about it beforehand. 난 우리가 그것을 사전에 알고 있었으면 했다.

as a side note 참고로

speaking of 말 나온 김에
since you brought it up 너가 말을 꺼낸 김에
so to speak 말하자면
on that note 이쯤하고. 말 나온 김에
while you are at it 하는 김에

if anything 오히려. 반대로
I'd say he was more like his father, if anything. 그는 오히려 그의 아버지를 더 닮았었어.
next to (almost) impossible 거의 불가능한
And you have parking which in the city is next to impossible.
그리고 이 도시에서는 거의 있기가 불가능한, 주차장도 있어요.

pretty much everyday 거의 매일
somehow 왜 인지
whatsoever 전혀

whatnot ~인가 뭔가, 무언가

let's say 이를테면, ~라 치면
Let's say that you are right. 너가 맞다고 치자.

as early as 이르면
He will come back as early as mid-October. 그가 이르면 10월 중순에 돌아올 것이다.

at the eleventh hour 막판에
That plan was called off at the eleventh hour. 그 계획은 막판에 취소되었어.

in a row 연속해서
the other way (a)round 그 반대로

ish ~같은, ~쯤
I should go at 10ish. 10시쯤엔 가야해.
Cook it for 10ish minutes. 10분 정도 요리하세요.
The color is redish or pinkish. 그 색깔은 빨간 듯 아니면 핑크인 듯.

in principle 원칙적으로
on average 평균적으로
to date 지금까지
in a timely fashion(manner) 시기 적절하게, 적절한 시간내에
once in a blue moon(=very rarely) 극히 드물게
just a smidge 아주 조금
the thing is 중요한 건, 사실은
last but not least 마지막으로 역시 중요한
until told otherwise 다른 말이 있기 전까지
and then some 그 외에도. 훨씬 더 많이
in some ways 어떻게 보면
at one time or another 한번쯤은
here is the thing. (=the thing is) 그게 말이죠, 있잖아요

with all due respect 송구스럽지만(상대방에 비동의 할 때)
put two and two together (상황을 종합해 볼 때)
I couldn't help but overhear (의도치 않게)들을 수밖에 없었는데
I can't help but notice 눈치를 챌 수 밖에 없는데
if memory serves 기억이 맞다면

in the heat of the moment 홧김에, 충동적으로
Sorry I did it in the heat of the moment. 미안해 홧김에 그랬어.

every now and then 때때로
at times 때때로, 때로는(sometimes보다 낮은 빈도)

tops (최대)시간
15minutes! Tops. 늦어도(최대한) 15분이야!

along the way 그 과정에서

come to think of it 그러고보니. 생각해보니
on second thought 다시 생각해보니
in retrospect 뒤돌아보면. 다시 생각해보면
off the top of my head 문득 떠오른 건데
It occurs to me that ~가 갑자기 떠오르다

if this goes south 일이 잘 못 되면
better yet 차라리
for lack of a better word 더 나은 표현이 생각나지 않지만, 달리 표현할 게 떠오르지 않지만
move heaven and earth 무슨 수를 써서라도
in the back of my mind 마음한구석에
just out of curiosity 궁금해서 그러는데

out of the blue 갑자기, 느닷없이
Why did you buy flowers out of the blue? 갑자기(뜬금없이) 꽃은 왜 샀어?

the other day 저번에
across the board 전반적으로. 전체적으로
If I maybe so bold 이렇게 얘기해도 된다면, 용기내서 말씀드리면
one thing led to another 어쩌다 보니
for the time being 당분간은, 일단은
other times 어떨 때는
be that as it may 그럴지라도, 그게 사실 이더라도

*nevertheless 그렇지만, 그런데도(=nonetheless)
There is little chance that we will succeed in changing the rules, Nevertheless, we should try.
우리가 규정들을 바꿀 가능성은 거의 없다. 그렇기는 해도 시도를 해야 한다.

gun to my head 솔직히 말하자면
that (being) said 그렇긴 해도. 그렇게 말은 했지만. 그렇지만

as luck would have it 공교롭게도
운 좋게도, 우연히도 등으로 나쁠 때, 좋을 때 둘 다 사용하는 표현입니다.
As luck would have it, we had lunch at the same restaurant.
우연히도 우리는 같은 식당에서 점심을 먹었다.
*coincidently/coincidentally '우연히' 와 같은 의미로 사용할 수 있습니다.
*eating lunch 보다는 having lunch가 일반적인 표현입니다.
Coincidentally, they have the same first name. 공교롭게도 그들은 이름이 같다.
today of all days 하필 오늘
you of all people 누구 보다도 너는

in the interest of time 시간 관계상
비슷한 표현들을 알아보겠습니다.
for the sake of time/brevity.
in respect of everyone else′s time
I want to be respectful of time. 다른 분들의 소중한 시간을 생각해서
due to time constraint(s) 시간제약
*constrain 제한하다, 강요하다

*constraint 제한, 제약
in the course of time 때가 되어, 머지않아
in the nick of time 마침 제 때에, 때마침, 아슬아슬한 때에

through thick and thin 어떤 상황이나 어려움에도
My best friend has helped me through thick and thin.
내 가장 친한 친구는 어떤 상황에서도 나를 도와주었다.

right off the bat 즉시, 주저 말고, 바로
He realized right off the bat that he can't count on anyone in his company.
그는 회사내에 아무도 믿을 만한 사람이 없다는 걸 바로 알게 되었다.

in a heartbeat 생각할 것도 없이 바로
at the drop of a hat 신호가 나면 즉시, 즉각적으로

just a heads-up 미리 알려드리자면, 귀띔을 해주면
Just a heads-up, there will be a test next week.
미리 알려드리면, 다음주에 시험이 있습니다.
heads up의 다른 의미로 조심해! (앞에 봐!)도 가능합니다.
*s가 빠진 동사 구 head up은 ~를 이끌다 라는 뜻입니다.
The person who heads up a group is my cousin. 그 그룹을 이끄는 사람은 내 사촌이다.
위의 s는 3인칭 단수주어(person)때문에 사용된 것으로 복수형s가 아닙니다.
If I do say so myself 내입으로 말하긴 그렇지만
for what it is worth 도움이 될지 모르겠지만. 어떻게 생각할지 모르겠지만
without further ado 거두절미하고, 긴말없이 바로
*ado 소동. 야단법석
after giving it some thought 심사숙고 끝에
as far as I can see 내가 볼 때는

the next thing I knew 정신 차리고 보니, 어느새
The next thing I knew, he was a TV star! 정신차리고 보니까 그가 유명한 연기자 더라고!
가끔 이 표현에 I knew 대신 I know를 사용하는 경우를 볼 수 있는데요,

정확히는 I knew가 맞습니다.

at the earliest 빠르면, 빨라도
at the latest 늦으면, 늦어도
wise 현명한/~면에서
time wise 시간적인 면에서, career wise 경력 적인 면에서

at the very back/front/top/bottom 맨 뒤/앞/위/밑에
I was standing at the very back of the line. 나는 줄 맨 뒤에 서있었다.

month to month 한달 씩
back to back 꼬리에 꼬리를 이은
I have back to back appointments tomorrow. 난 내일 약속이 연이어 있다.

earlier this morning 아까 아침에, later this afternoon 있다 오후에

in the beginning/at first(처음에는)
in the end(결국에는)
At first, everyone had no idea what it meant, but it was explained in the end.
처음에는 모두가 무슨 말인지 몰랐는데 결국에는 설명이 되었다

월초에 at the beginning of the month, 월말에 at the end of the month
*at the beginning/at the end 다음에 보통 of가 나옴.

질의 및 제언은 devotion90@yahoo.co.kr 로 부탁드립니다.